2023年、
日本を生きるための羅針盤

ele-king臨時増刊号

写真：小原泰広

# 目次

エッセイ



コラム




表紙・扉写真　小原泰広

*preface*

# いまなぜ羅針盤が必要なのか

文＝水越真紀

三年ものコロナ自粛が続くうち、私の母はずいぶん遠くに行ってしまった。年末くらいからは毎夕のように、同居する夫の顔を見失い、どこにあるのかも分からない「帰るべき家」について考えている。私が焦ったのは、私がこの先、どうすればいいのかまったく見えなくなったからだった。そんな妻と二人暮らしの父の疲労をどう救えるのか、脚も弱っていく母は、いつまでいまの生活を続けられるのか、続けられないなら、二人の（いまのところはとりあえずは）平和な日常はどう変わるのか、変えればいいのか、ひょっとしたらそれを決めるのは私になるのか？　自分が生きるだけでもいっぱいいっぱいなのに、とつぜん肩にのしかかる他者の人生の重さをささえ切れないだろうと、胃薬を飲む毎日になっている。

折しもネットでは若い経済学者の「少子高齢化対策は高齢者の集団自決」というシンプルで古くさい〝大胆な持論〟が炎上している。アイビーリーグ仕込みの脳みそは羨ましいくらいシンプルだ。

現実の日本社会では、炊き出しの行列と「来月から値上がり一覧表」はみるみるうちに長くなり、どこも人手不足なのに賃上げは一部の大企業だけで、なかでも医療や介護をはじめとするエッセンシャルワーカーの不足は直ちに命を脅かすほど深刻な状態だ。

映画じみたあの戦争も終わらない。しかしそのドラマにあれだけ興奮したはずの日本では、最初の数ヶ月の白熱した議論や掻き立てられた感情が僅かな期間でしぼんでいる。戦争が終わらないことへの恐怖にも勝る、この社会への不信におびえる日々だ。思えばこの社会の私たちは昔からずっと忘れっぽくて、どんな悲しみも怒りも吹き上がった後は長続きせずに消沈していく。なにしろ、泣くにも怒るにもエネルギーが必要なのだ。

去年の夏をまだ覚えているだろうか？　冷戦体制で「反共の防波堤となれ」という至上命題のため、戦後日本を独占して支配してきた自民党が統一教会という奇妙な宗教団体に支配されていたことが明らかになった。明らかになって、もしかしたらこれをきっかけに日本の政治は変わるのではないか、少なくともジェンダー政策くらいは見直されるのではないかと思ったのも束の間、この問題の記憶もどうやら薄らいできている。

ほんとうに、私たちは何でもかんでも忘れてしまうのだ。五輪汚職も原発事故も、経済危機も大震災も、戦争さえも。この忘れっぽさを、どう克服できるのか、私にはさっぱり分からない。

ところで認知症というものは、自分の認知が短い期間で変化していくこと、慣れ親しんできたいつもの感覚がいつの間にか消失していることを、意識できないわけではない。むしろその症状の進行を自覚し、不安に苛まれ、自分の能力はこんなはずではないと戸惑い、それでも夕方になるとその苦しみ自体を忘れてしまったりする。母の不安や戸惑いの大きさを知るにつけ、これほどのつらさは、毎日忘れられるからこそなのだと気づく。その究極の矛盾を抱えるからこそ「今日はもうやめて、明日考えよう」とスカーレット・オハラの肝っ玉で生き続けることができるのだ。というより、人間、生きていかざるを得ない。

今回インタヴューした幾人かに、日本社会の希望のなさを突きつけられた。1月中旬の時事通信の世論調査では、岸田内閣支持が26・5パーセントと最低になったことと並んで、立憲民主党の支持率が2・5パーセントまで半減した。円安は日本の経済力への期待の薄さを表しているのだろう。例によって年始のダボス会議を報じるニュースでは日本の「国際競争力」低下を伝えている。バブル経済の頃には世界一だったのに、いまでは中国や韓国、東南アジア諸国よりも低い34位だそうだ。なのに軍事費を倍増させると政府は言う。消費化対策は異次元にやると言う。社会の未来像を想像した上での提案とは思えない。あいつらも夜になると忘れて「明日は明日の風が吹く」と言い出すくちなのだろう。

どこか近くに「出口」があるわけではない。簡単な解決策なんてものもない。「失われたン10年」という言い方をいつの間にかしなくなったのは、なにかを「取り戻した」からではなく、単純な話、いいかげん数え疲れたからだろう。

この特集号に寄せていただいた永井玲衣さんの文章が繰り返し頭をよぎる。「異なる他者と生きる」ということについて。遠くに行った母と、私は毎日電話で話す。週に一度は会って話す。永井さんの「一緒に座る」ことについての思考に触れるまで、彼女の残りの時間はすでに「失われた」のだと、私は思っていた。不安と戸惑いは母だけのものではなく、むしろ私の方により大きなものだったことにも気づいていなかった。そして、忘れるという欠点は、「嘆き直すこと」「怒り続けること」を可能にする効果も持つことにも。私たちにはもう、過去に馴染んだような〈希望〉はないかもしれない。実のところ、見知った地図を失って久しい。だから聞きたい人たちに聞いてみた。社会、メディア、労働、コモンなどなど、一つ一つの番地を訪ねてみた。その思考の集積が方位を示してくれるはずだ。自他の大事なことまで忘れながら、それでも私たちはこの社会で生き延びる方法を見つけるだけだ。だって私にとって、変わってしまった母との対話は、ほんとうはやけに新鮮で楽しくもあるのだ。

30種類の
国産野菜&スーパーフード
1日分のビタミン
山本漢方製薬
レイク ALSA 5F
EAST 4F
アコム 3F
COFFEE
ビックカメラ
BicCamera
駐停車禁止

写真：小原泰広

an interview with **Osamu Aoki**

# この10年で社会はどのように変質してしまったのか
# ——青木理インタヴュー

（取材：土田修、写真：小原泰広）

「恥の世代」であっても、おかしな政治やおかしな社会風潮に抗った者たちもいたのだと、その抵抗の爪痕ぐらいは残しておかなければならないと、そんなふうには思っています。

**profile** あおき・おさむ

1966年、長野県生まれ。慶應義塾大学文学部卒。90年共同通信社に入社し、東京社会部で警視庁の警備・公安担当記者を務める。2006年に退職し、フリーのジャーナリストに。TBSの「サンデーモーニング」、文化放送の「大竹まことゴールデンラジオ！」などに出演。著書に『日本の公安警察』（講談社現代新書）、『情報隠蔽国家』（河出文庫）、『日本会議の正体』（平凡社新書）、『安倍三代』（朝日文庫）など。

日本の治安は悪化などしていない。〔……〕殺人事件などの凶悪犯罪は決して増えていない。なのに「治安が悪化している」といった皮相な印象論をタレントさんたちが口にし、それがテレビ画面を通じて全国に広がってしまう。

しみじみと言われたことがありますよ。「君の言ってることは、本当に普通のことばかりだよなぁ」と。僕自身もそう思います。

かつては右の端っこにいる変わった連中にすぎなかった勢力が、特に安倍政権以降は政権与党のど真ん中に躍り出て、政権与党の中枢を牛耳るようになった。そして皮相なナショナリズムや排外主義を盛んに煽ったことも、社会の軸を大きく狂わせる要因になったでしょう。

2000年代からネットが既存メディアを凌駕していく時代に入り、かつてなら便所に落書きする程度しかできなかったヘイト言説の発信者が、ネット上で類似の言説を平然と拡散させられるようになってきた。そうしたメディア環境の変化も大きかったといえるかもしれません。

どの国でも警察組織とは本来、軍事組織と並ぶ一種の暴力装置です。ですから民主的国家では政治が警察を直接差配したり、警察が政治に直接介入するのは徹底して避ける必要があります。

安倍・菅・岸田政権の下で国会を軽視し戦争ができる国家へと大きく舵を切った感のある日本。右傾化する政治や社会の問題について辛口の提言を続ける青木氏は、政権に忖度するのが当たり前のようになったメディアの中で異彩を放っている。「僕は右でも左でもない。普通のことを言っているだけ」と謙虚に語るが、その青木氏と話していると、この10年で日本がどう変わってきたのかがクリアに見えてくる。自らを「政治や社会を変えられなかった恥の世代」と自嘲的に語る一方、「普通のこと」を言い続けることで「抵抗の爪痕だけは残しておきたい」と静かな意欲を見せた。

※以下の注は全て取材者によるものです。

## メディアの変質とそれをとりまく社会そのものの変質

――青木さんにこの時代に教えていただきたいことがいっぱいあります。特に若い人たちに伝えるべき言葉もたくさんおありではないかと思います。青木さんはどこかで「桐生悠々〔注1〕のことを知って新聞記者になろうと思った」と書いていますが、戦前に反権力的言論を繰り広げたジャーナリストの桐生悠々は現在の青木さんの「抵抗する姿勢」にもつながっているのではないでしょうか？

**青木**　僕にそれほど語るべきものがあるかどうかはともかく、作家の井出孫六さんが書いた『抵抗の新聞人　桐生悠々』（岩波新書）を初めて読んだのは高校時代のことでした。井出さんは

**注1　桐生悠々**（1873年～1941年）：明治末から昭和初期にかけて反権力・反軍国主義的な言論を繰り広げた金沢市出身のジャーナリスト。信濃毎日新聞で主筆を務め、1912年に明治天皇に殉死した乃木希典陸軍大将を批判した社説「陋習（ろうしゅう）

長野県臼田町（現・佐久市）にある造り酒屋の生まれで、僕にとっては高校の先輩でもあるんですね。その影響を受けて新聞記者という職業に漠然とした憧れを抱いたのは間違いありません。

当時影響を受けた先達のジャーナリストはほかにもいます。たとえば、のちに朝日新聞で主筆などを務めた若宮啓文さんが長野支局時代に書いた『ルポ・現代の被差別部落』（朝日文庫）。これを読んだのも高校時代、ひょっとすると長野県版の連載時に読んだのかもしれません。ほかにも先達記者のルポやノンフィクションを乱読し、いつしか新聞記者、とくに社会部記者に憧れるようになりました。実際、かつては各社の社会部にスター記者がひしめいていましたから。

読売新聞ならば本田靖春さん、朝日新聞なら本多勝一さん、疋田圭一郎さん、『ルポ・精神病棟』（朝日文庫）を書いた大熊一夫さんなどのルポも読み漁りました。ほかに読売なら大阪社会部の黒田軍団が、社会部以外にも毎日新聞ならベトナム戦争のルポ『泥と炎のインドシナ』を指揮した大森実さん、そうした名物記者たちが各社に綺羅星のようにいました。

共同通信では、地を這うようなルポルタージュを書き続けた斎藤茂男さんの仕事に憧れました。ほかには編集局長などを歴任し、小和田次郎の筆名で「デスク日記」を書いた原寿雄さん。そういえば、斎藤さんと原さんは伝説的スクープを放っていますね。1962年に大分県菅生村（現在の竹田市菅生）で発生した、いわゆる「菅生事件」。小さな村の駐在所が何者かに爆破され、直後に警察は共産党員らを検挙しましたが、実をいうと事件の真相は公安警察官による自作自演だった。驚くべきことに現職警察が共産党を陥れるため、自分で交番に爆発物を仕掛けて爆破させていたんです。

その警察官、市木春秋こと戸高公徳が姿をくらまし、東京に潜伏していることを斎藤さんや

打破論——乃木将軍の殉死」は大きな反響を呼んだ。1933年に関東一円で行われた防空大演習を批判した社説「関東防空大演習を嗤ふ」では、木造家屋の多い東京が空襲を受ければ焦土化すると指摘、陸軍の怒りを買い、在郷軍人会が信濃毎日新聞の不買運動を行った。

原さんの取材班が突き止め、本人を問いつめて警察にもそれを認めさせた。まさに権力犯罪を暴いた戦後メディア史に残るスクープでした。その原さんや斎藤さんといった先達に憧れ、いまになってみれば幼い話ですが、新聞記者といえば社会部でしょうと、そう思っていました。

**——現在のテレビ報道はかなり政権に忖度している面が感じられます。特に情報番組がそうです。その中で青木さんは政権にもかなり厳しい発言をしています。これまで権力批判的な発言をした人はテレビから消えていったんですが、青木さんは残っています。どうしてでしょうか？**

**青木** 僕だって最近はテレビから消えつつありますよ（笑）。でもまあ、残っているとすれば、僕がそれほど大した発言をしていないからかもしれません。

冗談はともかく、メディアにもいろいろあって、新聞には新聞の役割、テレビにはテレビの役割がある。ラジオや雑誌もそうですし、テレビでいえば報道番組も情報番組もそう。もとよりどれが高級でどれが低俗だということは一切なく、それぞれが担うべき役割があって、と同時にメディアやジャーナリズムというものが一貫して抱くべき矜持もあります。権力の監視といえば大仰ですが、少なくとも権力や権威には断じて阿らず、そんなものにはつねに疑心の眼を向けること。本田靖春さんの言葉を借りれば、根っこにはつねに「小骨」を潜ませていることがメディア人として最低限の矜持でしょう。

そういうなかで僕がどうだったかといえば、活字ジャーナリズムの世界に憧れて通信社に潜り込み、40歳で組織記者を辞めました。理由はいろいろありますが、そろそろデスクになる歳だったのは大きかった。デスクになると現場を離れることになります。現場を離れるんだったら、好きなことを取材して書きたいと思って会社を辞めた。

そうしたら何か知らないけどテレビ局から声がかかるようになった。不思議ですね。その一つが、いまもテレビでは各局が盛んに編成している情報番組、いわゆるワイドショーです。そうした番組では芸人さんやタレントさんが堂々とコメンテーターを務め、ご存じないのだから仕方ないのですが、根拠のない感想めいたことを話すことが多い。猟奇的な殺人事件などを扱えば「日本の治安は悪化してる」といった発言をする。

でも、現実に日本の治安は悪化などしていない。その理由をどう捉えるかはなかなか興味深い分析対象ですが、いずれにせよ殺人事件などの凶悪犯罪は決して増えていない。なのに「治安が悪化している」といった皮相な印象論をタレントさんたちが口にし、それがテレビ画面を通じて全国に広がってしまう。

そうしたなか、僕に出演を求めてくるような番組制作者は、多少なりとも腹に「小骨」を持っていて、そういう制作者に求められれば応えられる範囲で応えたいと、煎じ詰めればそれだけの話なんです。いわば流されるままに現在のような役目を担うようになっただけのことであって、それを皆さんがどう思っていらっしゃるかわかりませんが、僕はそんなに奇異なことや、突飛なことを言ってるつもりもありません。原寿雄さんがご健在だった時、しみじみと言われたことがありますよ。「君の言ってることは、本当に普通のことばかりだよなぁ」と。僕自身もそう思います。

サンデーモーニングでは、司会の関口宏さんもよく言っていることですが、日々忙しくて毎日ニュースを見ることができない人びとに対し、日曜日の朝にゆっくりと1週間の出来事をまとめて伝えられる情報番組、それがそもそもの番組コンセプトだったと。一方で日々のニュース番組には、かつてはテレビ朝日に久米宏さんのニュースステーションがあり、ＴＢ

Sには筑紫哲也さんのニュース23があった。いまから考えればいずれも相当にリベラル……というより、メディアがリベラルなのは至極当たり前のことだと僕は思いますが、そうしたなかでサンデーモーニングは特段に異質な番組というわけでは決してなかったでしょう。

ところが最近は様相が一変しました。巷のリベラルな人びとからは「数少ない良心的な番組」と評され、政権の擁護者や支持者からは異様なほど目の敵にされる。言うまでもなく、これはサンデーモーニングという番組が変質したのではなく、メディアやそれを取り巻くメディア環境、そして何よりも日本の政治や社会状況そのものが変質したんです。

## 世の中の軸がずれてしまった

**――青木さんは極めてまっとうなことをきちんと発言しているだけだという印象が非常に強いですね。右とか左とかに関係なく。同じことは私が勤務していた東京新聞(中日新聞東京本社)も同じことです。中日新聞は元々は保守の側にいるとみられる新聞でしたが、それが今や永田町界隈では「極左」扱いされています。言論情勢が大きく変化したのでしょうか?**

**青木** 言論情勢もそうですし、そもそも政治や社会の軸が圧倒的にずれてしまった結果ではないですか。思い出すのは一昨年に亡くなった作家の半藤一利さんのことです。僕は最晩年におつきあいさせていただき、雑誌などで何度も対談しましたが、僕にいわせれば半藤さんは戦後日本でど真ん中の保守に位置づけられる作家、編集者、知識人でした。

そもそも右とか左とか、保守とか革新といった腑分けをどういう価値基準に拠るかはさまざまあれ、戦後のこの国では天皇制をどう捉えるかはそのメルクマールのひとつでしょう。その点、半藤さんは天皇制を肯定的に捉え、それどころか現上皇夫妻といった皇室の面々と非常に親しく交流していました。一方〝歴史探偵〟を自称して昭和史を探究し、その反省と教訓を作品に昇華させて後世へと遺す作業に尽力した。

つまり戦後体制を基本的に肯定しつつ、しかし反省すべきは反省し、二度と同じ過ちは繰り返さないという、まさに戦後日本の穏健な保守、良質な保守を体現したメディア人、言論人です。その半藤さんが晩年、安倍政権に代表される歴史修正主義的で反動的な風潮に警鐘を鳴らし、この国の政治と社会の急速な「右傾化」というか、僕に言わせれば反知性的な風潮に真摯な批判を加え、結果として一部からはまるで「左翼扱い」されるようになった。まさに病的な「軸のずれ」を象徴するような話です。

自民党だってそうじゃありませんか。戦後の政権をほぼ一貫して担ってきた自民党は、かつて「国民政党」を自称していました。55年体制下でこれに対峙した社会党、共産党は、ある種のイデオロギー政党、階級政党でしたが、実際に自民党は右から左まで相当に幅広いウイングを包含していました。そしてリベラル色の強い宏池会はもとより、土建政治と利益誘導色の強い田中派、経世会が党内の本流を長く形成する一方、右側には清和会が位置し、その端っこには青嵐会とか、のちに安倍政権を熱心に支持するような宗教右派なども佇んでいた。

ただ、かつては右の端っこにいる変わった連中にすぎなかった勢力が、特に安倍政権以降は政権与党のど真ん中に躍り出て、政権与党の中枢を牛耳るようになった。そして皮相なナショナリズムや排外主義を盛んに煽ったことも、社会の軸を大きく狂わせる要因になったでしょう。

一方、近年の日本社会にもそれを受け入れる素地はあったのかもしれません。なによりも戦後80年近くの時が過ぎ、先の大戦を直接知る人びとがいなくなってきた。また、戦後のこの国は高度経済成長によって世界第2位の経済大国、アジアではナンバーワンの大国になったと自賛してきましたが、バブル崩壊後は国力が明らかに衰退しました。長期の景気低迷から一向に抜け出せず、産業的にはイノベーションも起こせず、一方で周辺では中国や韓国が飛躍的な経済成長を果たし、日本の国際的地位は相対的に大きく低下しました。

同時に国内では少子高齢化や財政状況の悪化に歯止めがかからず、だから社会保障の将来像なども描けないでいる。当然、社会には不安感や焦燥感、さらには劣等感が蓄積します。そうした時代状況の変化の先に安倍政権的なものもあった。そういう意味では時代の空気に乗り、煽った安倍政権というのは、政治的に巧みな面があったのかもしれません。

そうして政治や社会の軸が大きくずれ、かつては良心的な保守と位置づけられた半藤さんのような方々がまるで「左」かのような状況になった。その点では、沖縄県知事だった翁長雄志さんも同じかもしれません。翁長さんや沖縄については僕もずいぶん取材し、生前には長時間のインタヴューをしたこともありますが、おそらく翁長さんは最後までご自身こそが戦後政治の正統的保守だと位置づけていたのではないでしょうか。

ご存じのとおり、翁長さんはもともと自民党の沖縄県連幹事長などを歴任した保守政治家でしたが、晩年は知事として辺野古の新基地建設反対の立場を鮮明にし、沖縄で保守からリベラルまでを包含する「オール沖縄」態勢を築く立役者になりました。だから一部ではその政治姿勢を変質させたと指摘されましたが、そうではなく、本土の政治こそが変節してしまったのだと翁長さんは考えていたのではないでしょうか。

長時間のインタヴューでおっしゃったことを僕なりに解釈すれば、戦後の長きにわたって米軍基地が沖縄に押しつけられている状況には変わりがありませんでしたが、かつての自民党の政治家たちはその現実を、すなわち沖縄に過重な基地負担を押しつけている現実はもちろん、沖縄が先の大戦末期にとてつもなく悲惨な悲劇に見舞われたことを知悉していた。そしてそれに対する最低限の理解や贖罪の念は持ち続けていた。山中貞則にせよ小渕恵三にせよ、橋本龍太郎や野中広務といった政治家もそうですが、過重な負担と不条理にあえぐ沖縄に思いを寄せた政治家はそれなりにいた。

それに関して翁長さんに聞いた話で印象に残っているのは後藤田正晴との逸話です。まだ翁長さんが沖縄県議か那覇市長だった時代のことらしいのですが、後藤田正晴に面会した際、後藤田は当初の予定時間を大幅に超過した面会に応じつつ、「わしは沖縄には行かれんのだ」と漏らしたのだそうです。驚いた翁長さんが「なぜですか、沖縄が何か先生に失礼なことでもしましたか」と尋ねると、後藤田はこう言ったそうです。「いや、わしは沖縄に申し訳なさすぎて向ける顔がないんだ」と。

いうまでもなく後藤田は警察庁長官なども務めた治安官僚出身の政治家でしたが、戦前、戦中の内務官僚出身者でもありましたから、当然ながら大戦末期の沖縄の惨状を、そして戦後は米軍基地を過重に押しつけられてきた沖縄の苦悩をよく知っていた。かつてはそうした政治家が政権

と与党の中枢を占めていたからこそ、基地負担をおしつけられた沖縄の現状に強い不満を抱きつつ、翁長さんは保守政治家としてその一角を担うこともできていた。

ところが安倍政権はまったく違います。たとえば高校の歴史教科書検定をめぐり、沖縄戦の集団自決に関する旧日本軍の強制性を削除するという動きがあったのは2006年、第1次安倍政権下のことでした。第2次安倍政権下の2013年4月には、サンフランシスコ講和条約発効の日を「主権回復の日」として祝い、天皇も列席させて「万歳三唱」する政府イベントまで開いた。あらためていうまでもなく、サンフランシスコ講和条約の発効日は沖縄が米軍統治下に置かれた日でもあり、沖縄では「屈辱の日」と位置づけられています。そんな事実を知ってのことか、知りもしないのか、沖縄の負担や苦悩に対する一片の配慮すら失われてしまった。

そうした本土政治の姿勢を眺め、しかも辺野古の新基地建設に抗う沖縄の民意を一顧だにせず、さらには沖縄に対するヘイト言説までが横行するようになった状況を受け、翁長さんは「オール沖縄」の態勢を築きあげた。つまり、変節したのは自分ではなく、本土の政治なのだと翁長さんは捉え、自身こそ戦後自民党政治の保守本流なのだと考えていたのではないでしょうか。そして沖縄からそれに警鐘を鳴らしていた。僕はそう受け止めています。

## 政権批判しただけでなぜ「左翼」呼ばわりされるのか

――政権批判すると「左翼」と批判される時代ですね？　その元凶である安倍政権が8年以上も続いたのは、政治のパワーバランスによってなのか、それともメディアも劣化し「右」よ

**りの政治に加担してきたこともあるのか、またはそれを支えてきた国民の意識の変化があるのか、青木さんはどのように感じていますか？**

**青木**　そのいずれもが当てはまるのでしょうね。もちろんメディアの劣化も大きいでしょうし、先ほども少しお話ししたとおり、戦後80年近くの時を経て世代交代が進み、先の大戦を直接知る人びとがいなくなりました。また、この国の国際的地位の低下や長期の景気低迷、財政状況の悪化、そして社会保障の将来像が描けない不安感や焦燥感も背後には漂っている。その先に安倍政権的なナショナリズムや排外主義の蔓延があり、それに煽られた「嫌韓」「嫌中」といった風潮も横たわっている。

その直接的な契機となったのは、2002年の日朝首脳会談だったかもしれないと僕は指摘してきました。ご存じの通り、史上初の日朝首脳会談で北朝鮮は日本人拉致を認め、一部の拉致被害者の帰国が実現するとともに、両国の首脳は日朝平壌宣言にも署名しました。これ自体、戦後日本の創造的な独自外交として僕は評価しています。ただ、日本政府が認定する拉致被害者のうち5人生存、8人が死亡したという北朝鮮側通告の衝撃はあまりに大きく、日本側では北朝鮮への猛烈な反発が巻き起こりました。

僕は当時、通信社の特派員としてソウルに駐在していましたが、ある新聞社の先輩特派員が漏らした台詞がとても印象に残っています。「これで戦後日本が朝鮮半島との関係で初めて〝被害者〟の立場になったな」と彼は言ったんです。たしかにそうかもしれません。朝鮮半島に限った話ではありませんが、戦前や戦中に塗炭の被害を与えてしまったアジア諸国などとの関係上、戦後の日本は加害者としてつねに反省や謝罪を求められる立場でした。与えた被害のすさまじさを思えば当然のことだと僕は思いますが、その底流では「いつまで反省を求められるのか」「どれだけ謝罪すれば済むのか」といった不満や鬱屈も明らかに燻っていた。

ところが日朝首脳会談で北朝鮮が日本人拉致を認め、戦後日本が初めて〝被害者〟になったことで、その不満や鬱屈が一挙に溢れ出し、歴史修正主義的な風潮が大手を振って横行するきっかけにもなってしまった。もちろん北朝鮮が異形の世襲独裁国であり、日本人拉致が許されざる国家犯罪であるのは言うまでもありません。僕自身、通信社の記者時代には北朝鮮を何度も訪れ、その独裁体制下で多くの人びとが塗炭の苦悩に喘いでいる様も目撃してきました。

ただ、日朝首脳会談を経て日本側では北朝鮮への猛烈な反発が高まり、異形の独裁国である北朝鮮については罵倒しようが嘲笑しようが構わない、といった風潮がメディアなどにも蔓延し、その風潮は当初、主に北朝鮮に向けられましたが、すぐに韓国や在日コリアンなどにも対象は広がりました。実際、「嫌韓」をタイトルに冠した漫画本が刊行され、ベストセラーになったのは2005年。在日コリアンには「特権」があるのだと吹聴するヘイト団体が誕生したのは2006年から2007年にかけてのことです。拉致問題によって初めて〝被害者〟になったこの国で、堤防が決壊するようにヘイトや歴史修正主義の洪水がほとばしった。

これを政界で盛んに煽ったのも安倍氏でした。日朝首脳会談の当時、安倍氏は小泉政権の官房副長官でしたが、ご存じのとおり日朝首脳会談は外務省のアジア大洋州局長だった田中均氏が準備に奔走し、当時の小泉首相、福田康夫官房長官、そして田中氏のラインで事前の意思決定がなされました。一方、官房副長官の安倍氏はこのラインから外され、そのことへの不満だったのか、これが跳躍の契機になると睨んだのか、会談後は田中氏らを悪様に罵り、自らが拉致被害者に寄り添う存在なのだという情報を陰に陽に盛んに発信した。

結果、安倍氏は北朝鮮に強硬姿勢をとる政治家として一躍脚光を浴び、小泉政権の官房長官や与党幹事長などにも抜擢され、一挙に政界の階段を駆け上っていくことになりました。そういう意味では皮相なナショナリズムやヘイト的な風潮を安倍氏が煽ったともいえるし、逆にその風潮に政治家としてうまく乗ったともいえるでしょう。その底流には、先ほど申し上げたような日本社会の時代的、環境的変質、さらには国際的な位相の変質なども横たわっていた。

さらにいえば、SNSなどネットの隆盛の影響も見逃せない要素かもしれません。このあたりはノンフィクションライターの安田浩一さんが書いた『ネットと愛国　在特会の「闇」を追いかけて』（講談社）などを参照したらいいと思いますが、2000年代からネットが既存メディアを凌駕していく時代に入り、かつてなら便所に落書きする程度しかできなかったヘイト言説の発信者が、ネット上で類似の言説を平然と拡散させられるようになってきた。そうしたメディア環境の変化も大きかったといえるかもしれません。

## 安倍銃殺事件に思うこと

――青木さんも書いていたと思うんですが、自分の原稿を書くのに締め切りに追われてヒーヒー言ってるのに、なんでこんなにたくさんの人たちがSNSで書いているのか驚きです。その熱意は凄いものがある。あれは何なんだろうなと不思議に思うことがあります。

**青木**　さあ、僕はSNSの類を一切やらないので、熱心に何事かを発信している人びとの心性はわかりません。根が怠け者なのか、何がしかの文章を書いて稿料を頂戴するのが生業のせいか、SNSなどに熱中しているヒマがあったら好きな本でも読んでいるか、友人や知人と酒でも呑んでいる方がマシじゃないかと、僕なんかはそう思ってしまうんですけどね。

それはともかく、これまでお話ししてきたような時代状況下、安倍晋三という為政者が白昼銃殺されるという昨年の衝撃的事件をどう位置づけ、今後の日本政治と社会にどのような影響を及ぼすか。事件を機に旧統一教会と政治の蜜月が注目されたわけですが、僕に言わせれば、そもそも旧統一教会のような反社会的カルトを放置し、あるいはそれを温存し、時には利用さえしてきた政治の責任をこそ徹底して問うべきでしょう。

これは元参院議員のジャーナリスト、有田芳生さんも指摘していましたが、かつて警視庁公安部が旧統一教会に対する大々的な捜査準備に入ったことがありました。1995年のことです。この年は年初に阪神大震災が発生し、3月に入ると警視庁などがオウム真理教への一斉捜査に乗り出し、さらには地下鉄サリン事件も発生するという激動の年でしたが、じつはその前後、警視庁公安部は旧統一教会への内偵捜査にも乗り出していたんですね。

当時、公安警察が宗教団体を対象にするのは、ある種のタブーともいえる状況でした。それがオウム真理教事件〔注2〕で一変するわけですが、公安部がなぜ旧統一教会への組織的内偵捜査をはじめたのか、通信社の公安担当記者として取材していた僕は、かなりの緊張感をもってその推移を眺めていました。

**――青木さんは共同通信社でしたが、私も青木さんと同時期（1994年〜95年）に東京新聞の警視庁担当記者（サブキャップ兼公安担当）をしていましたから、よく覚えています。そ**

**注2　オウム真理教事件**：オウム真理教が1980年代から1990年代にかけて、化学兵器サリンや自動小銃を製造して武装化し、教団と対立する人物の暗殺や無差別テロを実行した一

の昔、愛知県警担当記者として、赤報隊事件のうち朝日新聞名古屋本社社員寮事件の取材も経験していますから、旧統一教会関係も取材の範囲内でした。ところが、オウム事件によって旧統一教会関係の捜査は消えてしまいましたね？

**青木** ええ。オウム事件が一段落した後、僕は公安部の最高幹部に直接尋ねたことがあります。「統一教会への内偵捜査をしていたはずだけど、それはどうなったの？」と。すると幹部はこう答えたんです。「あれは政治の意向でストップがかけられた」と。ほぼ同じことを有田芳生さんも後に警察幹部から聞いたそうですから、当時の公安警察が統一教会の内偵捜査に乗り出していたにもかかわらず「政治の意向」、あるいは「政治の力」によって頓挫させられたのは間違いないのでしょう。

これは重大な問題です。安倍氏を銃殺した容疑者は、母親が旧統一教会に入信して財産を貢ぎ、それによって自身の人生が破壊されたのが犯行の動機だと供述しているようですが、報じられているところによれば、容疑者の母親が統一教会に入信して多額献金にのめり込んだのは1990年代後半のことです。つまり1995年に公安警察が教団捜査に乗り出していれば、容疑者の母親が統一教会にのめり込むことも多額のカネを貢ぐこともなく、結果として容疑者の人生が破壊されることもなく、元首相の安倍氏が銃殺されるという事件が起きることだってなかったかもしれない。

ではなぜ公安警察の捜査にストップがかけられたのか。1995年当時は自社さ政権期で、政権と与党は北朝鮮との国交正常化交渉を模索していました。一方、「反共」「勝共」を旗印にしていたはずの統一教会は北朝鮮に接近し、1991年には教祖の文鮮明が訪朝し

連の事件。弁護士とその妻子を殺害した「坂本弁護士一家殺害事件」（1989年11月）、裁判官の殺害を目的にサリンを散布し、7人の死者と数百人の負傷者を出した「松本サリン事件」（1994年6月）、捜査の撹乱を狙って地下鉄車両内でサリンを散布し、12人の死者と数千人の負傷者を出した「地下鉄サリン事件」（1995年3月）は、「オウム3大事件」といわれる。この事件で2018年7月に教祖の麻原彰晃（本名・松本智津夫）とその側近の計13人に死刑が執行された。

て故・金日成主席と会談しています。そうした動きもあったから公安警察が統一教会に注目したのかもしれませんが、ひょっとすると当時の政権与党は北朝鮮とパイプを持つ統一教会を利用しようとしたのかもしれません。

実際、脱税などの罪で米国で有罪判決が確定していた文鮮明は、本来なら日本に入国できないはずなのに、1992年の3月に特例の形で来日を果たしています。これは自民党副総裁だった金丸信氏の意向を受けた措置だったとされ、文鮮明は金丸氏と会談もしている。そうした文脈のなかで公安警察による統一教会捜査はストップがかけられたのではないか。

さらに遡れば、安倍氏の祖父でもある岸信介が「反共」「勝共」を結節点にして統一教会を日本に引っ張り込んだようなところがあるのはご存じの通りです。そして孫の安倍氏にもそれは引き継がれて安倍氏は統一教会と蜜月を築き、選挙の際には教団票を自ら差配する関係にまであった。文化庁が拒否していた教団の名称変更が2015年に突如認められたのも安倍政権下の出来事です。

いずれにせよ、その時々の政権、あるいは政権与党の思惑や打算で旧統一教会という反社会的カルトが放置され、温存され、あるいは政治の側が教団を利用し、利用され、その果てに安倍氏は銃弾に貫かれてしまった。ならばあの事件で瓶の蓋が開いたというより、政治の不作為や打算が前代未聞の事件を引き起こしたというべきでしょう。

ただ事件後、旧統一教会の問題がこれだけ世の関心を集め、特に一部のワイドショーがその報道に熱心に取り組み、まるで良心的番組のように賞賛された背景には、安倍政権やその取り巻きが盛んに煽った排外主義や「嫌韓」の風潮が横たわっていたのではないかと僕は疑っています。安倍政権を熱烈に支持し、提灯持ちとして振る舞ったジャーナリストや月刊誌が盛んに煽り、テレビのワイドショーなども隣国の政治や混乱を面白おかしくとりあげ、結果として広がった「嫌韓」のムードは、この国の一般の人びとにもうっすらと、しかし間違いなく堆積し、かなり広く共有されていました。

そして安倍氏が銃殺されるという衝撃的事件が発生し、犯行動機として旧統一教会の存在がクローズアップされ、その統一教会が何者かといえば、韓国由来の反社会的カルト、しかも「反日的」な教義を持つという異形のカルト教団であり、だからこそ一部のワイドショーは格好のネタとして飛びつき、消費することになったのではないか。誤解を恐れずにいえば、ある意味でブーメランというか、自業自得だったかもしれません。

**――日本テレビの「ミヤネ屋」が良心的な番組であるかどうかではなく、「嫌韓」意識を背景にして利用していたということですね？**

**青木**　「ミヤネ屋」を代表にしたらかわいそうかもしれませんが、実際に視聴率はかなり稼げたようです。つまり、自らがさんざん煽ったナショナリズムや排外的な「嫌韓」の風潮に自らが刺されてしまった面があったのではないか。その点で言うと、この国の右派政治と旧統一教会の蜜月は、右派政治家の面々にとって相当に深刻なボディーブローとなるかもしれません。

考えてもみてください。つね日ごろは「美しい国」とか「国を愛せ」などと勇ましいことを言っているくせに、裏では隣国由来のカルト宗教と、しかも「反日的」とされる反社会的カルトとズブズブの蜜月を築き、その理由が何かといえば、選挙の際の票や支援という徹底した自己利益と打算だった。そんな右派政治や右派政治家のあからさまな本性というか、本質が見事に露呈してしまったわけですから。

とはいえ、この国のメディアと民は忘れっぽいですから、果たしてこれからどうなるか。昨年は極めて不十分ながらも教団の反社会性による被害者の救済法が成立し、宗教法人法に基づく質問権も行使されましたが、いずれも政権と与党が積極的に動いたというより、世論の勢いに押されて渋々動いた結果でした。しかも肝心の政治と教団がズブズブの蜜月関係を築いた歴史的経緯などの実態解明にはほとんど何の検証も総括も行われていない。これを断じて放置するべきではないし、憲政史上最長の政権を率いた元首相が白昼銃殺されたわけですから、本来なら安倍氏を熱烈に支持した人びとこそが事件に心底憤り、その責任追及と実態解明に乗り出すべきだと僕は思いますが、誰もが知らぬ存ぜぬを決め込んで首をすくめ、嵐が過ぎ去るのを待っているだけ。これもまた、つね日ごろは「国民の命と財産を守るのが政治の責任」だとか、だから「国を愛せ」などと吠えてる連中の本性が露呈した、ということなのでしょうが。

## 旧統一教会と日本会議

——これまで「子どもは家庭で育てろ」とか「夫婦別姓は家庭を壊す」などと男女共同参画社会やジェンダー平等に反対してきた人たちは日本会議とその関係者に多いことが問題視されてきました。フェミニスト系の人たちに対するバックラッシュ〔注3〕も日本会議系の山谷えり子氏らが中心になってやってきたわけです。でもそうした動きに、主張が似ている旧統一教会も関わっていたのでしょうか？

**注3　バックラッシュ**：男女平等意識の高まりや女性の社会進出を阻む「反動・揺り戻し」のこと。

**青木**　日本会議と旧統一教会は決して一心同体ではなく、同列に扱えば日本会議の連中は怒り出すでしょうね。ただ、両者が非常に近い場所で活動し、おっしゃるような「伝統的家族観」であるとか、選択的夫妻別姓制の導入反対といったテーマでは、しばしば協力関係にあったのも間違いない事実です。

僕は何年か前、『日本会議の正体』（平凡社新書）というルポを書きましたが、ざっくりいえば日本会議の本質も宗教右派の連合体です。中枢でその活動を担っているのは、戦前、戦中から極端に国家主義的な新興宗教として知られていた「生長の家」。現在の「生長の家」はだいぶ路線転換し、エコロジー宗教のような色彩を強めていますが、その「生長の家」の元信者たちが日本会議を中枢や周辺で支え、そこに神社本庁や右派系の新興宗教団体が集っている。

一方の統一教会がどうかといえば、日本会議の内部でも「本質は反日的な教団だ」と距離を置く人びともいるし、「反共」や「伝統的家族観の尊重」といったテーマでは共闘できるから、さまざまな局面で共闘しようと考える人びともいて、実際に共闘してきた面はあった。

いずれにしても、日本会議も旧統一教会もその政治的影響力を決して過大評価するべきでないと僕は思いますが、お話にでた山谷えり子氏などは日本会議や神道政治連盟などの支援を受け、何よりも日本会議やその周辺者は安倍晋三氏とその政権を熱烈に支持し、安倍氏もそれに応え続けた。しかも安倍氏は長期にわたる「一強」政権を率いましたから、霞ヶ関官僚に忖度や萎縮の風潮が広がったのと同様、与党も安倍色に染まり、日本会議の影響力が一層大きく見えるような状況が続いた。

一方でジェンダー格差の解消や性的少数者の人権尊重、あるいは同性婚の容認などは世

この言葉の出処は、1992年にスーザン・ファルーディが書いた『バックラッシュ』（邦訳は『バックラッシュ　逆襲される女たち』新潮社）。日本では1999年に男女共同参画社会基本法が施行され、全国の地方自治体で男女共同参画条例制定の運動が広がった時期に、日本会議や保守系団体によるバックラッシュが勢いを増した。2002年に山口県宇部市で「男女が、男らしさ女らしさを一方的に否定することなく特性を認め合い」という本来の男女共同参画に逆行する文言を取り入れた条例が制定された。

界的な潮流であって、たとえば選択的夫妻別姓制の導入にしても、すでに1990年代に法相の諮問機関・法制審議会がその導入を盛り込んだ民法改正を答申し、与党内だって容認派は相当数に上っているはずです。なのにラウドマイノリティというか、日本会議の息のかかった一部極端な右派の声に気圧され、安倍政権下ではその声や圧力が極限化された。

だからいまなお選択的夫婦別姓制すら導入されていないわけですが、日本会議を取材した経験からいえば、その理屈は一種のカルト的妄想に近いものでした。現在も日本会議の実務を中枢で担っている「生長の家」の元信者は、自らが代表を務める右派団体の機関誌に、選択的夫妻別姓制に断固反対する理由を記しているのですが、ざっくりいえばそれは次のようなものです。まずは「これは事実上の不倫の勧めになる」。また、「家族制度を破壊した旧ソ連の悲劇を再現するものだ」と。笑い出したくなるほど馬鹿馬鹿しい話ですが、先ほどお話ししたように、かつては「右の端っこにいて変わったことを訴えてる連中」が安倍政権下で道の真ん中を堂々と歩くようになったという現実は、このあたりにもよく現れていると僕は思います。

その点でいえば、安倍政権や日本会議、あるいは統一教会的な主張の悪影響は、ジェンダー格差の是正や性的少数者の人権保護といった問題にとどまらず、この国の歪んだ外国人政策にも如実に映し出されていると思います。もはやカビの生えたような「反共」や「勝共」といったイデオロギーを振りかざし、「伝統的家族」といった妄想にも憑かれた彼らは、同時に「移民」に極端な忌避反応を示してきたからです。

しかし、この国の現状がどうかといえば、少子高齢化などに一向に歯止めがかからないこともあって、中小企業や飲食店や流通、さらには農業、漁業などに至るまで、ありとあらゆるサービスや生産現場を外国人労働者が支えています。最新の厚生労働省「外国人雇用状況」統計によれば、2021年10月時点の外国人労働者数は約172万人。労働者全体でいえば実に50人に1人を外国人が占め、現実にこの国はすでに〝移民大国〟となっていて、もはや外国人労働者なしでは経済そのものが成り立たない。

当然、財界や各種経済団体、あるいは農業団体などは「労働力」としての外国人受け入れを渇望し、しかし日本会議色の強い与党の右派勢力は「移民」を断固忌避するから、「技能実習」や「留学」といった搦め手から外国人を受け入れ、結果として多くの外国人が非人道的な環境下で働かされ、単なる「労働力」として使い捨てられている。

しかもこの国の法務・入管の非人道性は相変わらず常軌を逸していて、司法手続きも経ずに強制収容した外国人にまともな医療も受けさせず、収容中のスリランカ人女性が命を落とすといった死亡事案が全国の入管施設で続発しています。こんなことを続けていれば、この国の国力低下や昨今の円安傾向も手伝って、こちらが拝んでも外国人労働者に見捨てられる状況になりかねないというのに、政府と与党、そして法務省は、難民認定申請の制限などを盛り込んだ入管法改定案を今国会に再提出するというのだから、その度し難い心性を僕は心底から疑います。

こうした惨状はいまも政治の各分野で続いています。これもあらためて言うまでもなく、昨年末に岸田政権は安全保障政策の大転換に踏み切りました。今後5年で防衛費を大幅増額し、敵基地攻撃能力まで持つと。年初に毎日新聞が政権の内幕を報じていましたが、首相が敵基地攻撃能力の保有を決断した背景には、やはり安倍氏の影響や与党内最大派閥である安倍派への配慮という政治的打算があり、なによりも米国の意向は最も大きい動機になっている。伝統的にハト派とされる宏池会出身の現首相も、その本質は空っぽということなのでしょう、すべてを丸呑みし、戦後日本の矜持がまたも盛大に薙ぎ倒されつつある。

果たしてそれでいいのか。これは戦後の矜持が薙ぎ倒されるという視点からの問題はもちろん、現実政治の視点からも歪みしかもたらさないと僕は思います。この国はすでに1000兆円を超える国債発行残高を、つまりは同額の借金を抱え、繰り返しになりますが、だから社会保障の将来像なども描けず、結果として少子化に歯止めもかからず、消費も景気も一向に上向かない。なのに防衛費を一挙に倍増するのだと政治は息巻いていますが、この国の防衛費、つまり軍事支出はすでに世界9位の規模です。これを倍増すれば、米国や中国に次ぐ世界3位水準の軍事大国に躍り出ることになる。

そんなことに費消するカネが湯水のごとくあるなら、好きにすればいいという理屈が成り立つかもしれませんが、1000兆円を超える借金を背負ったこの国は、子育てや教育に支出している予算ではOECD（経済開発協力機構）加盟国の平均以下。教育に関していえば、先進主要国が軒並みGDP比で3％程度を支出しているのに対し、この国のそれはわずか2％にも届かない。なのに防衛費ばかり倍増させ、しかも米国製の高額兵器を爆買いするのにそれは使われる。

愚かというしかなく、僕が大嫌いな言葉をあえて持ち出せば、これこそが〝売国的〟な政治であり、こんなことを続けていればさほど遠からずクラッシュする日がやってくるのではないか、決して冗談ではなく僕は真剣に憂いています。

## ■警察国家になっている日本

**青木**　安倍政治の問題点という意味ではもう一つ、他であまり指摘はされませんが、政権中枢への警察官僚の重用も大きな問題を孕んでいました。政治体制の左右や洋の東西などを問わず、どの国でも警察組織とは本来、軍事組織と並ぶ一種の暴力装置です。ですから民主的国家では政治が警察を直接差配したり、警察が政治に直接介入するのは徹底して避ける必要があります。

実際、この国の警察も全国津々浦々に30万人近い人員を配し、大半の警察官は拳銃を所持して機動隊といった実力部隊も擁している。また、人を逮捕したり強制捜査したりする権限を持ち、専門の情報機関を持たずにきた日本の場合、警察の公安部門が事実上の情報機関的役割まで担ってきました。

警察という暴力装置がそれほど絶大な権力を持っているからこそ、戦後のこの国では公安委員会制度を整備し、国の機関である警察庁は国家公安委員会の、自治体警察である各都道府県警はそれぞれの都道府県公安委員会の管理に服し、国家公安委員会の長は政治家が務めるけれど、それ以外の委員には民間有識者が就いて警察という暴力装置を民主的に統制するシステムを整えました。その現実がどうなっているかといえば、国家公安委員はもちろん、各地の公安委員も長く名誉職的なお飾りに堕してしまっていますが、それでも政治と警察が直接結びつくことを避けるクッションの役割としての重要性が公安委員会制度にはありました。

ところが安倍政権は官邸の中枢に警察官僚を、それも公安部門出身の警察官僚を続々と重用しました。8年近く続いた第2次政権では、官僚トップとなる事務担当の官房副長官に一貫して警察出身の杉田和博氏を据え、幹部官僚人事を牛耳る内閣人事局ができるとその局長まで兼務させた。また、安倍政権下では国家安全保障会議が新設されましたが、その実務を担う国家安全保障局のトップにも警察官僚出身者が起用されています。

この国家安全保障局は「国家安全保障に関する外交・防衛・経済政策の基本方針や重要事項に関する企画立案・総合調整」を担うと位置づけられ、そう考えると第2次安倍政権は各省庁の総合調整から幹部官僚人事、さらには外交、防衛の基本方針の立案などに至るまでを警察官僚が握っていたことになります。戦後政治を振り返れば、官房副長官に警察官僚出身者が就いたことはあっても、これほど警察官僚が中枢を牛耳ったのは初のことであり、極めて異例な態勢だったことがわかります。

その結果として何が起きたか。第2次安倍政権を振り返れば、特定秘密保護法や共謀罪法、さらには盗聴法（通信傍受法）の大幅強化、そして重要土地規制法といった警察が以前から欲しくて欲しくてたまらなかった治安法が続々と成立しました。他方、警察官僚もその権限を駆使して政権に奉仕した。性的暴行を受けたと女性ジャーナリストが訴えた一件で元テレビ記者の逮捕状が握り潰されたのはそのひとつでしょうし、加計学園問題で実名告発に踏み切った前川喜平・元文科事務次官が、その告発直前に「出会い系バー通い」の醜聞に襲われたのもそうだったと僕は考えています。あのような情報を掴めるのは、公安警察以外にはあり得ず、政権の問題点を指摘する告発者潰しのために警察情報が悪用された。警察という装置はそれだけ強大な権力を持っているからこそ、政治と警察が直接結びついたり一体化したりするのは極めて危険なのです。

これも政治体制の左右や洋の東西を問わず、あるいは歴史的にもそうですが、警察組織や治安機関といった存在が政治と結びついて強大な権限を持つ国がどうなるか、現在のアジアでいえば中国や北朝鮮はもちろん、かつての軍事独裁政権の韓国などを見れば明らかですが、そうした警戒感が極度に薄いのも近年のこの国の政治の病巣でしょう。

## 『安倍三代』を紐解く

――そういえば青木さんは『安倍三代』（朝日文庫）をお書きになっています。きっけは？

**青木**　じつをいえば第2次安倍政権が長期化するさなか、ある出版社から安倍氏の評伝を書かないか、というオファーを受けていました。でもその際は食指が動かず、少し取材しただけで断ってしまいました。ノンフィクションという文芸分野において人物評伝と事件は一種の華ですが、人物評伝の場合、テーマとする人物にそれだけの魅力がなければ作品も面白くなりようがない。別に対象が善人でも悪人でも構わないのですが、記すべきエピソードやドラマに満ちていれば、取材する甲斐もあるし作品として昇華させる価値もある。

でも、安倍氏の評伝なんて面白いわけがないでしょう。世襲政治一家のボンボンとして東京で生まれ、東京で育ち、小学校から大学までを私学の一貫校で過ごした安倍氏には、特段に記すべきエピソードやドラマなど絶無に近い。だから面白くないと断ったんですが、その後に朝日新聞出版の週刊誌ＡＥＲＡから少し別の形のオファーがありました。安倍氏だけでなく、そのルーツにまで遡って取材を尽くし、安倍氏という政治家と安倍政治がなぜ生まれたのか、その淵源を徹底取材して描いたら価値も意味もあるのではないか、と。

僕自身はある人物を描く際、そのルーツに遡ってその人物を規定する、という手法には疑問を持ってきました。家系とか血筋で人物を規定することに強烈な違和感を覚えるからですが、安倍氏の場合は事情が違います。岸信介の孫として生まれなければ、あるいは世襲政治一家の安倍家に生まれなければ、そもそも安倍氏は政治家になることもなかったでしょう。

ならば、そのルーツに遡りつつ「安倍三代」の系譜を描くのは、安倍氏という政治家と安倍政治がなぜ誕生したのかを知るための必須の作業になる。と同時に、戦前から戦中、戦後へと流れるこの国の政治を概観し、世襲政治の問題点やその劣化ぶりを描き出すこともできる。そう考えてオファーを受け、取材に取り組みました。当時のAERA編集長は、現在はフリーのジャーナリストとして活躍している浜田敬子さんでしたが、彼女も全面的にバックアップしてくれ、編集部の若手取材記者2人の協力も得て1年ほど取材した成果が『安倍三代』というルポルタージュでした。

実際に取材してみると、安倍氏の父方の祖父である安倍寛〔注4〕は非常に魅力的な人物でした。日本海に面した山口県の寒村で生まれた寛は、地元民に絶大な支持を受けて村長などを務め、戦中の東條英機政権下で実施されたいわゆる翼賛選挙に出馬すると、翼賛政治体制協議会の推薦を受けずに当選をもぎ取っています。反戦とまで言えるかどうかはともかく、政権や軍部の横暴には屈せず、時の権力に決して阿らない反骨の政治家だった。寛が出馬した際の選挙公約というか、いまでいうマニフェストのような文書も手に入れたのですが、そこには「富の偏在は国家の危機を招く」などと記され、現在にも通じる庶民的で目線の低い政治家でもあった。孫の安倍氏にその爪の垢を煎じて飲ませたいと思うぐらいでした。

ところが寛は身体が弱くて病気がちで、終戦の翌1946年に50代の若さで亡くなってしまいます。その息子であり、安倍氏の父である晋太郎も、所詮は2世のプリンスではあり

**注4　安倍寛(1894年～1946年)**：山口県出身で戦前・戦中の衆議院議員。安倍晋三元首相の父方祖父で平和主義を貫き、東条英機内閣の方針に真っ向から刃向かった反骨の政治家。1942年の総選挙で大政翼賛会に逆らい、翼賛会の非推薦で出馬し特攻警察の監視と弾圧を跳ね除けて当選。「富の偏在は国家の危機を招く」と大資本・財閥優遇政策を厳しく批判し、貧富の格差の是正や失業者

ましたが、戦中には特攻を志願させられて九死に一生を得た経験を持ち、幼少期は山口県の地元で寛の支持者らに囲まれて育ち、取材者としても魅力的な逸話がなかなか多く、政治的にもかなりバランスの良い政治家でした。

そういえば、翼賛選挙を非推薦で勝ち抜いた議員には、ほかに三木武夫や二階堂進といった錚々たる面々がいて、そうした政治家が戦後政治の中枢を担った側面がありました。歴史のイフを語っても詮無いのですが、もし寛がもう少し長生きしていれば戦後政治に別の足跡を残したかもしれないし、孫の安倍氏にも違った影響を及ぼしたかもしれない。しかし寛は早逝し、東京生まれ東京育ちの安倍氏は母方の祖父・岸信介に溺愛されて成長した。そう考えると少し残念ではありますよね。

**――青木さんの今後のジャーナリストとしてのご活躍を楽しみにしています。これからの日本を背負って立つ次世代の人たちに言っておきたいことはありますか？**

**青木**　僕が次世代に向けて何か偉そうに語れることなどありません。この30年、政治や社会が劣化するばかりの状況下、メディア界の片隅で禄を食んできてしまったわけですから。そういえば先日、ある作家と対談した際、彼はしみじみとこう言ったんです。「僕たちは後の世代から『恥の世代』と捉えられてしまうかもしれませんね」と。まったくその通りだなと思いました。

ただ、「恥の世代」であっても、おかしな政治やおかしな社会風潮に抗った者たちもいたのだと、その抵抗の爪痕ぐらいは残しておかなければならないと、そんなふうには思っています。僕にできることなど些細なことですが、せめてそのために記すべきを記し、語るべきを語っていくしかないと思っているだけです。

対策の必要性を訴えた。母方祖父の岸信介を尊敬し右翼ナショナリストの岩盤支持を集めた安倍元首相とは対照的な人物。

an interview with **Darthreider**

# 日本にないものをもう一度考えてから始める——ダースレイダーインタヴュー

（取材：水越真紀、写真：小原泰広）

**profile** だーすれいだー

1977年、フランス・パリ生まれ。ロンドン育ち、東京大学中退。ラッパー。吉田正樹事務所所属。2010年に脳梗塞で倒れ、合併症で左目を失明。以後は眼帯がトレードマークに。バンド、ベーソンズのヴォーカル。プチ鹿島との初監督、主演映画『劇場版センキョナンデス』2月18日より全国公開。著書『武器としてのヒップホップ』（幻冬舎）など。

thanks to 宇川直宏（DOMMUNE）

日本は「民主主義国家」という看板を出して「民主主義国家」という服を着ているだけの、民主主義国家になれていない国だと思ってる

まず個として自分が主権者であるという意識があるかどうか。その上で主権者が社会を運営しているという意識があるかどうかの二段階ですよね。まず個として「私は自分のことは自分で決めます」と言うのはいいけど、「みんなで社会生活を送る上でどうすんの?」という二段階の議論も本来は必要なはずです。

日本の場合はそもそも選挙で選んだ人が何なのかもわかっていない。政治家のことを「先生」と呼ぶ人が多いじゃないですか。僕は政治家をエージェントだと思っています。

90年代初頭の渋谷にはリズム感があって、行けば足が弾む感じがあった。渋谷系というジャンルがあって、仕掛けられたものだとしても実はいろいろな音楽が渋谷系にまとめられていたんですけど、でも「この街ってこういう感じだよね」という共通前提が一時期はあったと思うんですね。

だから僕は投票率を上げようという話にもイマイチピンときていない。みんなが投票に行くのが大事なんじゃなくてみんなが考えることのほうが大事、自分で決めることが大事。自分で決めたうえで行かないんだったらそれはそれでいい話だし、

まず確認しておこう。ここはどこなんだ？　この場所の名前はなんという？　この場所から見えるものはなにか？　ここからどこへ行けるんだ？　耳を澄ませろ。なにが聞こえる？　どんなリズムが？　我々はどんな言葉でなんの話をしつづけているんだ？——

日本はほんとうに民主主義国家なのか？　とダースレイダーは問う。意地の悪い問いだ。これは昨夏の銃撃事件で露呈した戦後日本への根源的な問いかけだったが、いや、もっと前から、この問いは何度となく差し出されていたではないか。いや、しかし待ってくれと、こんな疑問にダースレイダーは、「いや、そもそも民主主義じゃなかったんだから民主主義の危機になんて陥っていない」と言ってのける。身も蓋もない。

しかしこの「身も蓋もない話」から始める以外に道なんてないのだということも、われわれはうすうす気づいていると言えば言えなくもない。きっぱりと身も蓋もなさに立ち返るか、「言えなくもない」と言い渋り続けるのか。

そこへの回帰から始めよう。話し始めなければ次の話には続かないのだから。

## 日本はなぜ変われないのか？

——コロナ禍が続いていく中で、たとえばアメリカでは国会議事堂襲撃をはじめとするトランプにまつわる不穏な動きであったり、選挙やワクチンや陰謀論だったりが、ステイホーム

**の最中にもインターネットが暴走するように、社会や世界を動かしてしまったようにも見えています。ダースさんはずっと発信を続けていらっしゃいますが、そのような変化を感じることはありますか？**

**ダースレイダー**　コロナ禍が変化をもたらしたということは世界共通で言えると思いますが、コロナ禍以前と今の状態がどう違うかによって、もたらされたものも変わってくるでしょう。僕は、日本は民主主義国家ではなく、「民主主義国家」という看板を出して「民主主義国家」という服を着ているだけの、民主主義国家になれていない、パブリック＝公という概念のない国だと思っています。喩えれば、そこそこ走れる車をアメリカに買ってもらった無免許の運転手が、「この道を走っていれば大丈夫だよ」と言われたところを走ってきて、無免許でも道交法を知らなくてもなんとかなっていた、というのが日本。かたやヨーロッパでは「どう生きるべきかがコロナ禍に問われている」と、ある意味で「不自由な生か自由な死か」を突きつけるような議論がすごく話題になったりした。

日本の場合、残念ながらコロナ禍の変化というものは、けっきょく周囲の空気が変わっただけで、自分がそれをどう考えるかというところでの影響は実はあまり変わっていない。だから日本は世界でも珍しいくらいコロナ禍の影響がないとも言えていて、そもそも自分のスタート地点がわかっていない以上、どう変わったかもわからないわけで、ずっと五里霧中だった。ただ、一瞬世界中が五里霧中になったため、日本も一緒に迷っている風になっただけ。

たとえば自粛云々の話にしてもそうでした。僕は葬式の話はすごく大事だと思っているんですが、しかし、親しい人が死ぬときに、それに立ち会えないということが、コロナのために当たり前に受け入れられてしまった。近い親族、あるいは愛するパートナーが亡くなったときにそれを弔うことが、感染対策という理由でできませんと。これって、権力に対してずいぶん大事なものを預けているなという感覚になるはずだと僕は思うんですよ。いちばん大切な人と会えないくらいの権力を行政に与えている。民主主義国家でそれを行政に与えたということを、自分たちでわかってんの？　と。

あるいは反マスクというのが日本だと陰謀論だのなんだの言われていますが、そもそもなんでそれが大事なのかは自分が決めたいということと、自分が決める権利をどこまで「御上＝権力」に預けたのか考えているのかだと思うんですよね。

スウェーデンのコロナ対策が日本でも話題になりました。「スウェーデンは高齢者を見殺しにしているんじゃないか」とか。でもスウェーデンは「行政は情報を全部出します。はい、あとはみんなで考えてください。その上で、みんながちゃんと行動するという信頼を行政もします」ということだったんです。そうするとスウェーデンの社会では、行政が出してくれている情報を信頼して、その上で自分たちでどうするかを決める。その結果として犠牲が出たとしても、自らの選択がこういう結果を招いたということを受け入れる。民主主義国家はそういう回り方をするものだけど、日本はそれができてない。なにを、どの力を人に預けていて、どれが自分たちの決めたもので、その結果どうなったかってあらゆるものがフワッとしていますよね。

**――日本ではなぜそうなるんでしょうか。**

**ダースレイダー**　まず個として自分が主権者であるという意識があるかどうか。その上で主権者が社会を運営しているという意識があるかどうかの二段階ですよね。まず個として「私は自分のことは自分で決めます」と言うのはいいけど、「みんなで社会生活を送る上でどうすんの？」という二段階の議論も本来は必要なはずです。そのときにパブリック――つまり「それぞれ自分で決めて考える人たちが集まった場所」という、社会の前提となる場所なんですけど、それが重要になってくる。僕は日本にそのパブリックがないと思っている。「公園」とか「公共の施設」とか、「公」と付くのがパブリックですが、その概念が日本にはない。パブリックとは、みんなのものという意味です。しかし日本の場合の「公」とは誰のものでもないという考えなんですね。だから、「公共の施設」では「これはしちゃいけない」という禁止事項ばかりになる。「犬の散歩はダメ」「ボール遊び禁止」「芝生に入るな」とかですね、「これは誰から命令されてんの？」と。でも、本来なら公園というのはみんなの場所で、みんなが来ていい場所。それが根底にあって、どうしたらそこが気持ちよくなれるのかを考える。しかし日本の場合、公園がみんなの場所だと思っている人がほとんどいないかもしれない。

**――たしかに公＝御上という感覚はメディアの何気ない表現にも出てきますね。**

**ダースレイダー** 民主主義国家の主権者、つまり本来、御上は自分たちですよね。たとえばスウェーデンの場合はパブリック＝社会というみんなが運営するものをどうしていくか、自分たちで考えて決めて、そのうえで投票して、そしてそれを管理・運営する力を行政側に預ける、という順番です。なので、その行政が下す判断は自分たちが自信をもって選んだものの、ということになる。主権者教育を小学校ぐらいからやっているので、そもそも自分たちが何をやっているのか子どもレベルでもわかっているんです。その帰結を受け入れながらも「こういったエラーが起きた」「ここでこういうトラブルが起きた」というのを解決するのにいちいちちゃんと話し合う。民主主義は熟議がセットだとよく言われていますが、なぜかというといろいろな人が主権者として自分の自由を持っているけれども、みんなで社会を作らなきゃいけないわけだから話し合って決めましょうということです。でも、忙しくて話し合う時間が取れない人もいるから、議会で代理人に集まって話してもらいましょうと。

いっぽうで日本の場合はそもそも選挙で選んだ人が何なのかもちゃんとわかっていない。政治家のことを「先生」と呼ぶ人が多いじゃないですか。僕は政治家をエージェント（代理人）だと思っています。自分の日々の忙しい生活があるなかで、例えば予算をどう使うのかとかを決めなければいけない時、代わりにエージェントに話し合ってもらいましょう、その人たちを定期的に選びましょう、という順番だと思っています。

**――そういった認識が広まらない理由の一つには、国が主権者教育をしてこなかったし、社会が受け入れなかったということだと思いますが、今そこまで話の前提を戻した時、ではどこから進ん**

**だら良いのか、どこへ一歩踏み出せば良いのかを考えると非常に無力感を覚えます。**

**ダースレイダー**　ぶっちゃけ言うと、戦後、日本がぶっ壊れてからすぐに、当時の何千万人全員が主権者になるという状況が始まっていれば、もしかしたら間に合っていたかもしれない。でもそんなことをしている間に、民主主義とは違う権威主義的なやり方で国家統制をしていく中国のような、国家に対する信頼の代わりにテクノロジーに対する信頼を優先するような形の国が経済的にも優位に立ってきてしまった。それに対抗するためには、せめて民主主義を装備した状態で迎え撃たなきゃいけないと思うんですけども、日本はそれができていないし、アメリカもどうやら怪しい。そういう意味で民主主義の危機と世界中で言われている。で、日本も「民主主義の危機だ」と、安倍さんの事件があった後に言われていましたが、「そもそも民主主義じゃないんだから危険に陥ってないですよ」と。タイムリミットは近づいてきていると思います。

ただし、非常に小さいレベル、例えば夕張市が財政破綻しましたよね。そうすると新しい街を作らなきゃいけない。そういうレアケースなんかに、民主的なプロセスをちゃんと機能させた状態でコミュニティを作ることは可能かもしれないと思うし、あるいは僕は音楽をやっているので、たとえばＤＪがいて、クラブがあってという音楽レベルのコミュニティで物事を決める時に、50人とか１００人クラスのコミュニティであれば民主的なことができる可能性はある。

**――最近でいえば杉並区は選挙で区長が替わりましたね。**

**ダースレイダー**　僕も杉並なので、岸本（聡子）さんにそういった意味での期待はしています。先行する事例としては世田谷の保坂（展人）さんがいて、似たようなアプローチをしている。これから杉並で問題となるのはたぶん、区議会や区庁で働いている人たちのメンツ問題だったりする。岸本さんみたいなキラキラした目立つ人が出てきた時に、劣等感を感じる人たちが足を引っ張りまくるというのは容易に想像できる。そういった人たちを、ある種闘いじゃなく宥めすかすというか、なんとなく上手いこと操縦してソフトランディングができるか。単純に「今まで上手くいってきたのに、なんでそんなヨーロッパ流のやり方じゃなきゃいけないの」とか「別に俺らがやってるのは民主主義だろ」と思っている人が多くて、そういうところとも取り組まなければならない。話題になってしまったが故に、やりにくいところもあると思います。そこは保坂さんのほうがしれっとやっている感じはある。杉並区は住み心地の良いところであるとか、比較的安定した地区だとか言われている以上、「別にマズいことはなにもないじゃん」という感覚でやっている人が多いと思うし。

**――岸本区長は本書でも取材していますが、闘うポイントをどこにするかはちゃんと考えられているようです。**

**ダースレイダー**　そういえば、経済学者の野口悠紀雄さんが「今の日本の経済レベルは1970年ぐらいに戻ってきている」と仰っていましたが、実際の1970年代はその後若い人たちが次々と仕事に就いていってる。でも今後はどんどん高齢化していって、景気後退も間違いなく起こるわけで、同じ数値でもまったく意味が変わってくる。でも、もう、それを前提としてやっていくしかないと思うんですよね。少なくとも小学生や中学生にこういったことを考える機会を与えて欲しいです。僕は娘を地元の小学校に通わせていたんですが、そういった話し合いが先生によって変わってしまう。人に依存しちゃっているんですよね。

## 保守的なバックボーンもないし、都市のリズムもない

――そうは言っても、最近は18歳が成人になったこともあって、主権者教育のようなものは増えてきていますよね。

**ダースレイダー** 若い先生ほどそういった意識が標準装備されているという感覚はあるんですけど、特に公立の場合は、すぐに先生が転勤になるんです。私立学校だと、子どもが小学校に6年間いる中で、1年生の時、この子はこういう考え方をしていた、4年生の時はこうだった、というある種定点観測ができたうえで、子どもごとにアプローチをする教育が可能なんですけれども、公立の場合は割とすぐにポンポンと先生が代わってしまう。

――効率重視の工場みたいですね。

**ダースレイダー** 本当に工場化していると思います。僕自身は小中高と私立の学校に通っていて、これがどういう意味を持つのかは在校していた時にはわからなかったんですけれども、たとえば今でもいろいろなところで同窓の先輩や後輩と会ったりする。たとえば13歳上のブラジル在住の先輩に会えば、今サンパウロはこんな感じだよと話をしてくれて、違う日にはメディアで働いている15歳下の後輩と話したりする。すると、みんな同じ先生を知っているんですよ。

これはある種すごく保守的な考え方にもなるんですけれども、そこには継承されていく考え方がある。そういうものがある種のスタミナになって、コミュニティを作る上でのバックボーンにもなっていく。やっぱりバックボーンがないと何かをやるときに立つ瀬がないと思います。

**――ある面で保守的な安定したバックボーンというのは、今までのリベラルや左翼の人たちが作ろうとしてきた理想の形とも少し違っていますが、でもそのことを落ち着いて言えるような時代にはなっていっているのかなと。**

**ダースレイダー** ヨーロッパは民主主義がすごく進んでいると言われると同時に、非常に保守的で伝統的な側面もあります。この間のエリザベス二世の国葬なんかそうでしたが、本当に精密に設計されていて、統治側のガバナンスを徹底してデザインし、どうしたら統治権力が偉く見えるか、考え抜かれた儀式がずっと継続されているんです。イギリスなんて今は民主主義ということにしているけど、王政時代と変わらないものがずっと続いていきます。ただ、今をサヴァイヴしていくために民主主義という体制を取っているという、非常に抜け目なくてズルい生存戦略が見えてもいる。

この間ベルギーに行ったんですが、ブリュッセルに17世紀の建物がそのまま使われた市庁舎がある中央広場があります。そのあちこちに表札みたいなものがあって「ここでカール・マルクスが正月を迎えました」とか「ここにはヴィクトル・ユーゴーがいました」とか、そういった何百年も前の人たちがここにいたという証が残っている。つまり、みんなが集まる場所として広場があって、そこにいろいろな視線が注がれているんです。その視線は今の広場を上から見ているだけじゃなく、「300年前にこの人がここから広場を見ていました」とか「200年前にマルクスが」「ウェーバーが」とか、そういう視線の積み重ねがヨーロッパのパブリックにずっと蓄積されているんですね。これこそヨーロッパ諸国がアップダウンしながらも生き延びている強さみたいなものです。

――日本には広場がないんですよね。

**ダースレイダー** 広場がないし、過去から蓄積された視線もない。横からのお互いの視線はあるけれど。もちろん、たとえば城の天守閣からの視線があるというふうに無理やり言おうと思えば言えますが、それをみんなが感じながら生きているのか、それが保存されているのかは非常に怪しい。昔は裏山信仰みたいな、裏山に祖先の霊がいて、村で田植え仕事をしている人を見守ってくれていて、お盆になると帰ってくるんだよという、なんとなくモヤッとしたものもあったと思う。非常に保守的、伝統的な話になるんですが、そういうふうに暮らしていたのは、それがバックボーンになって、活力となっていくという構造があったからだと思うんですよね。

しかし、日本で高層タワマン建てますと言った時、そういったコミュニティや社会の設計思想に基づいて造るわけではない。渋谷でストリームを作っても、「その結果この街が百年後にこういったものになりますよね」といった、社会に対する目線が共有される形で提示されてない。だから、街が人に力を与えることがないと思います。

たとえば東京のリズムって何ですか、ということを考えてみましょう。シカゴやデトロイトだったら、マンチェスターやブリストルだったら、それぞれの街のリズムがある。それはヒップホップでもハウスでもロックでも、ジャンルが違えど、その街に住んでいる人がなんとなく感じる街のリズムが根付いていて、それがたとえば音楽になっていく。街のリズムがそこに住んでいる人たちになにかしらエネルギーを与えていくことってあると思うんです。では東京サウンドってなんですか、と問われた時、東京にはそれがないですよね。

**――J-POPのテンポがやたら速く、展開がやたら派手な感じはありますよね。**

**ダースレイダー** 最近でいうと『ONE PIECE』のAdoさんの曲とか、『竜とそばかすの姫』のmillennium paradeとかですね、歌が強く、要素はいろいろ入ってても非常にリズムへの意識は弱い。僕には、90年代に一瞬、DJクラッシュ（※東京出身のヒップホップDJ。世界的に有名）がやっていたことは、もしかしたらあの瞬間の東京を切り取っていたなという感じが実はあります。

**――リズムの話は面白いですね。先進国で、活気の感じられる街、人気のある都市は、だいたいリズムのある音楽を大切にしていますよね。ベルリンのように、それが街の経済力にも繋がっていたりする。**

**ダースレイダー** 僕は渋谷ハロウィンのごく初期には、ちょっと期待するものがありました。というのも、別に誰か仕掛け人がいたり、行政がイベント化するわけじゃなくて、渋谷という街に誘引される形でみんなが集まっていたからです。しかし、それが何なのかを考える余裕が無いまま今のように膨れ上がってしまった。

たとえば僕は風営法改正反対の運動をやっていたんですが、その時にブラジルの人と話をすると、「行政が公共の場所のリズムを殺している」と言うんです。サンパウロやリオデジャネイロは本来、そういったリズムのある場所なのに、たとえば観光材として行政がイベント化することでそれをつまらなくしていると。それを取り戻すためにリズムを持っている人がもう一度その場所をオキュパイし、サンパウロはこういうノリだよねと、リズムを持ち込むということをやっているんです。

行政権力は基本的に、そういったリズム感がない方が投資しやすいんです。人びとがわちゃわちゃしていると行政側も好き勝手できないという、せめぎ合いがあちこちで起きるから。しかし日本の場合はそのせめぎ合いもなく、有無を言わさずリズムが消されている。公園通りやバスケットボールストリートを歩くと、いわゆるPRとしての歌が鳴っているだけなんです。これは渋谷という街の音なんですか？　と。ただ枠を売っているだけなんです。

渋谷ハロウィンの初期には、もしかしたらそういうリズムが取り戻せるかもしれないという面白さが感じられました。また、90年代初頭の渋谷にはリズム感があって、行けば足が弾む感じがあった。渋谷系というジャンルがあって、仕掛けられたものだとしても、「この街ってこういう感じだよね」という共通前提があったと思うんですね。社会からの、そういったものに対する評価がちゃんとできていなかったのは、もったいなかったと思いますね。

## この社会で生きていくうえで資本化していくことはもはや避けられない

――90年代、渋谷のセンター街あたりにジベタリアンが出てきたときに、私はいいなと思いました。若者たちが喫茶店にも入らず、缶コーヒー片手に道端に座って何時間も喋ってたりする。結果としてジベタリアンはどんどん街を占拠していったわけだけど、「お金を使わない〝消費者〟はいらない」と地元商店会の人たちに追い立てられていなくなった。グラフィティなんかもそうですが、お金にならない表現はNG、お金になるのであれば電光掲示板でも美醜を問わずOKと、個々の表現というものは資本主義との闘争に常に負けている。

**ダースレイダー** 僕らがこの社会で生きていくうえで資本化していくことはもはや避けられないし、そう生きていくしかない。斎藤幸平さんの「コモンズ（共有地）」のようなモデルもあるとは思うけど、その考えも斎藤幸平さんの本（『人新世の「資本論」』）が20万部売れて初めて広がっている。資本主義はそうやって全部資本に取り込んで数に変えていくというシステムですよね。そこに逆らうのも、いわば「ANTIキャピタリズム」というキャピタリズムを前提とした生き方しかないというふうになってきている。中国だってそれをやっているわけで。

それからグラフィティに関してですが、それを受け入れる文化土壌の問題があります。グラフィティは、どこの国でもイリーガルだし、ニューヨークでも行政との戦いです。『Style Wars』はそういう映画なんですけど、では、あれがもたらすものは何なのかという共通の前提がある。阿部航太くんという僕の友だちが『街は誰のもの』というブラジルのグラフィティ映画を作ったんですが、「街は誰のものか」という気づきがグラフィティ文化にはあって、要は「壁とは何なのか」、それが壁に絵（グラフィティ）が描かれることによって可視化される。「ここに壁があって、そして壁の向こう側がある」ということをグラフィティが教えてくれると思うんですね、外側への入り口というか、つまり、みんな社会の中に生きていて、ルールや法律を守って生きてればいいやと思っていたところに、ポンとグラフィティが描かれていることによって外側への入り口ができるんです。

**――日本でもそういうセンスは広がっていると思いますか？**

**ダースレイダー** 日本はすごく優秀なライターがたくさんいてあちこちでいろいろ描いているんですけでも、彼らには彼らのルールがあって、社会と関係のない自分たちの掟で生きている。そこに対する評価を、社会側が何なのかを受け入れられているかというと、ちょっとわからないですよね。

**――今の話はダースさんの著書『武器としてのヒップホップ』ですごく印象に残ったところです。「裏がある」「悪がある」そういったことも含めて「これがこの世」みたいな認識が必要だと本の中で言っていますね。**

**ダースレイダー** それを前提とし、今はルールを守ったほうが良いなと思います。でも、ルールの世界には線があることをわかっていれば、「はい、こっち側に行きます」ということだって選択できる。自由の議論というのは、こういうことも含めた選択肢があるかどうかだと思うんです。「法律というのはこういうふうにできています。法律の枠ってこうですよね。法律の中で生きていくと、こういうふうに上手くいきますよね。でもこれは違うんじゃないか？」という疑問を感じたっていいわけで。

**――そこまでいって初めてコロナに対面した時に、自由か命かの話、今何が重要なのかという話ができる。**

**ダースレイダー** 初めて前提が整ったんです。

――(笑)大事なのは、自分たちの社会という感覚ですよね。この社会は自分たちのもの。それを認識しないでそれぞれに頼りなく生きているのが今の状態かと。

## ■皮肉にもインターネットが見せるモノ

――社会があるという生き方はサッチャーが否定したように、経済の自由(liberty)と対立してしまう。日本にはその対立さえもなく崩壊していっているのかもしれないですが。

**ダースレイダー** 自由といっても、選択肢をいくらでも選べる自由と、「選択肢は誰が用意したの?」ということを考える自由と、次元が違う自由がある。「なんでも選んでいいよ」と言われるけど、それを言っているやつは誰なんだ、なんでそいつに従わなきゃいけないんだ、「この中から選びたまえ」とカードを3枚並べられたけどなんで3枚しかないんだと。あるいはカードが置いてあるテーブルを用意したのは誰かとかそういうことを考えていくのが自由だと思うんですけど、日本の場合は自由が何なのかをわかっていないと思う。

逆に言うと、日本人は自由だとも思っている。よく「何不自由なく暮らしていますよ」という人がいるけど、表面は経済的な意味の場合が多い。経済が自由を担保する理由は何ですか、それは資本主義経済だからですよね。じゃあそれを担保しているものは何か、というような話をしていったら、「何不自由なく暮らせる」というのは、非常に危うい前提の上に成り立っていますよね。

――リベラルがインターネットに可能性を感じた時期も長くあり、私も可能性があるはずだと思いますが、今、特にコロナの時代に悪いことがいっぱい起きてしまった。そういう中で、インターネットの可能性についてどう思われますか？

**ダースレイダー** あらゆるものに関して良い悪い両方があります。インターネットで面白いなと思うのは、誤魔化しなしにそのまま社会を表すことが可能なことです。イーロン・マスクがツイッターを買収して、そこを人権も何もないような、剥き出しのやりたい放題のプラットフォームにしようとしているんじゃないか、とんでもねえ野郎だという話になっているんですけれど。

そもそも人権だったり、あるいは人に優しくしようという考え方は人間が作ったものです。何でそういうものを作ったかというと、そうしたほうが暮らしやすい社会が保てますよねということで、これは非常に長い思考訓練を経てたどり着いた地点でもあります。ユヴァル・ノア・ハラリは『サピエンス全史』の冒頭で「人間は虚構を作る」と言っていますが、人が共同で何かを思い込むことによって社会をデカくしてきたという、すごく単純な構造が説明されている。

それに対してイーロン・マスクは、「虚像なんて剥ぎ取って全部そのまんま見せちゃおう、誤魔化すな」みたいなことをしているわけです。ツイッターはいろいろ操作して、これまではあたかもちゃんとした言論空間であるかのように装っていたわけですけど、それを全部取っ払ってしまうと、「ほら、酷いやつだらけじゃん！」と（笑）。インターネットは、素晴らしい人はいくらでもいる反面、ご覧のように素晴らしくない人もいっぱいいるということも教えてくれるんです。だから、みんなで共同生活を営む上で決まり事を作っていくわけです。人権だとか法律だとか憲法だとかそういった作り物をみんなで頑張って支えながらやっていこうと。つまり、なんで人間がこういう社会を作ってきたのかをインターネットがもう一回考えさせてくれるというか。

**――なるほど（笑）。**

**ダースレイダー**　ＳＮＳには本当にしょうもないやつが多いなと思うし、僕はツイッターをゲームとして割り切っています。コントローラーを握ってモニター画面を見て、みんなゲームキャラ、という感覚でやっています。人として付き合うみたいな話は、別に対立してもいいんですけど、なにかを共同でやったり議論しながら生まれるもので、人は長い歴史の中ですごく努力して「人として振る舞う」「人としてある」ということを築いてきたんだなと思います。

だから僕はマスクの「ツイッターがｂｏｔだらけじゃないか」という指摘は大事だと思っている。「ｂｏｔだらけ」というのは、打ち込んだプログラムｂｏｔのこととも言えるけれど、むしろｂｏｔみたいな人間がいっぱいいるじゃんみたいなことにも解釈できる。マトリックスのシリーズ最新作『レザレクションズ』では、人間がｂｏｔ化しているヴィジュアルが出てきます。急に目が白くなるんですが、ツイッターでこんなことを平気で言っている人は人じゃないでしょみたいな感じに近い。ところがマスコミは、「ツイッターではこんな意見が」「ネットではこんな声も」って、誰が言っているかもわからないことを価値があるかのように「報じる」。

**――あたかもそれが大衆の声みたいな。そんなことをやっているのは日本ぐらいです。**

**ダースレイダー**　例えばこの場に5人の人間がいて喋っている。そうすると、「この人はこういう態度でこういうテンションでこういう前提で喋っているな」と、ある程度は推察できる。しかし、それが隣の部屋だったりしたら、まずは「そこに座って話してください」ってなるわけじゃないですか。こうした距離感の掴み直しは重要ですよね。インターネットのお陰で、「人ってちゃんと距離感を考えているんだ」とか「挨拶って意味あるな」とか「天気の話って意味ある」ってことがわかってくるんです。それは、その部屋のリズム感を調整して、同じビート感を共有していくようなことで、ちょっとした会話をしながらいつの間にか同じグルーヴになっていくわけです。そうすることで、会話が盛り上がっていく。

――リモートワークになったときに、そういうものが失われたことを思い出しました。

## 投票よりも「考える」ことのほうが大事

――ダースさんの活力はどこから来るんですか？　難病をお持ちで、今日も病院に行かれましたが、そういう境遇でもエネルギッシュに社会的な意見を発言されています。

**ダースレイダー**　自分の場合、子どもがいるというのが一つあると思うのと、穴が空いているのを見つけた以上は「ここに穴が空いてるよ」と言わなきゃダメじゃない？　みたいなことがあります。

みんなで生きていくとか暮らしていくということに対するポジティヴな期待は常にあるんです。それこそ音楽を聴いていて、人と話して、いろいろな場所で人と一緒にいて、誰かと何かをやる喜びはやっぱりすごく強い。世界から誰ひとりいなくなって自分だけでやっていけると思えないし、人との関わりの面白さは常に感じています。

あと自分が病気をして思ったのは、人はいつか死ぬし、自分もいつか死ぬし、交通事故にあった人とかを考えればそれは突然やってきてもおかしくない。水木しげるの『河童の三平』に死神というキャラが出てきて、三平と一緒にずっと歩いている絵があるんですが、僕はすごくそういうイメージを持っています。死神や死というのはここにいて、いつでも一緒にいる、生まれたときからずっと一緒にいるもので、だいたい気づいてないんだけども、僕は病気をしたおかげで、横にこいついるな、ということに気づいた。そういう感覚なので、やれるうちはいろいろやっていこう、という感じですかね。

――**政治や社会に関心をいだいたのは、お父さんの影響ですか？**

**ダースレイダー**　そうですね。父親とはそういう話を高校生の時とかすごく。僕の場合、高1のときに母親が50歳で死んじゃって、それ以降弟と父親と3人でいろいろああだこうだ話す機会も多かった。父は僕が24の時に死にました。で、僕は33歳で脳梗塞になって、34歳のときに震災があって、この2年が非常に大きかったですね。「なんでも起こりうるな」みたいな。だから「今何ができるんだ」みたいなことをすごく考えるようになった。そういった意味ではその2年のふたつの経験によって、「ボッーっとしてらんねえな」みたいな感じになったんだと思います。

――**MICADELICというヒップホップ・グループのメンバーとしてデビューしたのはずっと前ですよね？**

**ダースレイダー**　あれは2000年だから23、24歳の時かな。あの頃は社会についてなんにも考えてないですね。ただし、選挙は行っていました。それは僕と弟が子供の頃から、父親は投票に行く時に子どもを一緒に連れていったからなんです。投票に行くことが大事なんだということを刷り込まれていた。また、「誰に入れたの？」みたいなことを聞くと、「それは自分で考えて決めることだから、人には言わなくていいよ」みたいなことも教わっていました。その感覚があったので、有権者になってから、とりあえず選挙のタイミングでは「さあどうしようか」みたいなことはずっと考えていました。選挙で大事なのは、自分がその時何を考えて投票したかということを覚えておくことだと思います。次の選挙の時に、「あの時は何を考えてあいつに入れたんだっけ」と考えるようにすることは、有権者になってからずっとしていましたね。

――選挙なんて意味ないと思ったことはなかったですか？

**ダースレイダー**　日本が民主主義社会ではない以上、大して意味ねーじゃんという考えがありつつ、自分がこの時にこういうことを考えてこの人に投票したということは、自分にとっての意味がありますね。

人が投票に行く・行かないというのも、本来は自分で決めりゃいいじゃんという話だと思いますよ。だから僕は投票率を上げようという話にもイマイチピンときていない。みんなが投票に行くのが大事なんじゃなくてみんなが考えることのほうが大事、自分で決めることが大事。自分で決めたうえで行かないんだったらそれはそれでいい話だし。面白半分でガーシーに入れようという人たちが投票にいっぱい行ったとしても、でもそんなんで別に社会は良くならないじゃんね、とか、どういう考えでそれをやったんですか、というところまで考えることのほうが大事だから。

**――主権者教育ってそういうことですよね。**

**ダースレイダー** 僕は投票に行こうキャンペーンとかはあまり大事なことだと思っていないんです。そんなの主権者なら、考えて行く奴は行くだろうと。だから「投票に行こう」じゃなくて「主権者になろう」というほうがスローガンとしては正しいし、でもそれを言われてやっている時点でもうダメだし（笑）。

## ■「わからない」と向き合うこと

**――ダースさんは、宮台真司さんとのコンビも最近はよく見るようになりました。宮台さんのどんなところに惹かれたんですか？**

**ダースレイダー** 震災のタイミングでいろいろな人の話を聞いている時に、ジャーナリストの神保哲生さんと宮台さんがやっている『マル激トーク・オン・ディマンド』を見て、こういうことを考えている人がいるんだと思ったんです。で、アベマの『NEWS RAP JAPAN』という番組で、若者がニュースを見ないからラップでニュースを聞かせりゃみんな興味持つんじゃないか、という企画の相談を受けたんですね。その時、良いラッパーはいっぱいいるけれど、ちゃんとしたニュース解説をセットにする必要があると僕は言ったんです。その時僕がマストでお願いしたいと思ったのが、宮台さんとプチ鹿島さんでした。それから、

（ラッパーの）ジブラさんの〈ＷＲＥＰ〉というヒップホップ専門ラジオ局の僕が担当する番組で、宮台さんを呼んで時事ネタの話をするという企画があったんです。それはコロナになってスタジオが使えなくなり、番組ができなくなった。宮台さんのスケジュールは抑えていたし、その時間がもったいないと思って、僕の家でユーチューブ・ライヴでやらないかと誘ったんです。屋根裏で１００分ぐらい喋ったんですが、宮台さんが「面白かったね」と言ってくれて、じゃあコロナ禍でみんな家にいるだろうから、ということで『１００分de宮台』というシリーズをユーチューブで始めたんです。宮台さんとのトークはその後、DOMMUNEでも定期的にやるようになりました。

――宮台さんのどんなところに共感しますか？

**ダースレイダー** 圧倒的な知識量。とにかくいろいろな本を読んでいること、そして「宮台哲学」みたいなものがある。全面肯定しているのではないし、「宮台さんはそう言うけど」という時もありますが、物事を取り出して抽象化したり、あるいは抽象化したものを具体化したり、あるいは「物事の前提がこうである」ということの前提はこうである、さらにその前提はこうであるという遡る考え方があることを宮台さんから学べたことはすごく大きい。

前提を辿っていくとよくわからないものにたどり着くということを、僕は大事にしています。陰謀論って「答え」じゃないですか。「この仕組みはこうだ」「これを考えたのはこいつだ」。前提をたどると本当は「わからない」にたどり着くんです。しかし陰謀論では「わかる」を提示してくることが前提になっている。「わからない」に向き合えるかどうかは覚悟の問題で、やっぱり人は「わからない」に対して不安になるから、どうしても答えが欲しくなっちゃうんです。そこを「いや、そんなに簡単な答えはない」と。でもその中でかろうじて「これとこれはわかるよね」という営みが社会だったりする。「この人と今この話をしています」「この人たちとこういうルールでこれをやっています」というのは、作り物だとはいえ「わかる」ものです。わからない世界の中に、ちょっとわかるものをなんとか構築していくのが社会を作るという営みだと思います。

**――(このインタヴューの2週間後)八王子の都立大学構内で宮台真司さんが襲撃されるというショッキングな事件が起きました。この事件について、お考えになったことなどを追加質問させてください。**

**ダースレイダー** 宮台さんのあまりの復帰の速さには驚きましたね。そして言論活動を続けるという宣言を早々に出したことは多くの言論人への強い働きかけになったと思います。いまだに容疑者が逮捕されていませんが、動機や目的は不明でも形として暴力による言論封殺が試みられた。宮台さんの圧倒的なまでに毅然とした態度がその試みを無効化させました。ただ、これは安倍さんの時も思ったのですが、容疑者が逮捕されていないうちから憶測や推測で語る人が多い。昔からそうだったのでしょうが、ネットがそれを可視化させてくれます。自分も含めた人々がもう少し「わからない」と向き合っていくのが大事だとも思いました。

an interview with Isoko Mochizuki

山上被告はツイッターで、被災者は自分に比べれば、支援してくれる行政がある、彼らさえも幸せに見えてしまうという趣旨のことを書き込んでいました。これは「カルト2世」たちの状況、統一教会と自民党との問題を長年放置してきたメディアの責任でもあります。

# 安倍元首相の銃撃事件以降、メディアはどう変わったか

## ——望月衣塑子インタヴュー

(取材:土田修)

日本人に必要なのは一人ひとりの主権者意識だと思います。例えば韓国では民主主義を勝ち取ったという意識が強いですから若者の投票率は70%を超えています。政治は自分たちのものだ、自分たちで作るんだという主権者意識に満ちています。

今のメディアは報道機関ではなくて政府の広報機関であるといわれています。元々そうした批判はあったにはあったでしょうが、安倍政権によって権力側につくかつかないかでメディアが選別されるような状況が生まれたことは確かです。

沈滞した時代にあって政治も経済も良くなりそうにないから、結局、強者の論理を拡散しながら、時にリベラルに受けるような言説も披露するひろゆきさんのような論客が出てくるのでしょう。

日々、政治や軍事の状況を取材していると、戦争の靴音がじわじわと忍びよっているように感じます。この危機的な状況の懸念を若者はじめ一人でも多くの人と共有し、アメリカ追随で政権維持を狙う、岸田政権の暴走をとめなくてはならないと思っています。

profile もちづき・いそこ

1975年東京生まれ。東京新聞社会部記者。慶応大学卒業後、中日新聞(東京新聞)に入社し、千葉・埼玉県警や東京地検特捜部などを担当。2017、18年には菅官房長官(当時)の会見で繰り返し質問を重ねる姿がニュース番組で取り上げられた。最近はアークタイムズなどオンラインメディアに出演。著書に『報道現場』『新聞記者』(以上、角川新書)、共著に『同調圧力』(角川新書)、『日本解体論』(朝日新書)など。

2022年7月8日、奈良市内で安倍晋三元首相が銃で撃たれ死亡した事件は、結果として旧統一教会（世界平和統一家庭連合）と政治との緊密なつながりを暴露した。この事件を題材にした足立正生監督の映画制作に協力したという東京新聞の望月衣塑子記者は、「カルト2世」の取材を通して旧統一教会の問題を放置してきた「メディアの責任」を痛感しているという。SNS（交流サイト）の問題やメディアの劣化が叫ばれる状況下で、権力に忖度することなく忌憚のない意見を表明できるオンラインメディアへの期待も大きい。次世代を担う若者には「もっと自由であってほしい」と語るが、戦争の足音がヒシヒシと迫る2023年は「ジャーナリストの覚悟が問われる年になる」と決意表明した。

## 衝撃的だった安倍氏銃撃事件

――2022年7月8日に安倍晋三元首相が奈良市内で参議院選挙の演説中に銃撃され死亡した事件は衝撃的でしたね？　この事件を引き金に、旧統一協会と政治家とのつながりがメディア報道で大きく取り上げられました。

**望月**　元自衛官の山上徹也被告のツイッターをNHKスペシャルが分析していましたが、彼は元々どちらかというと右派的な思想をもっていましたね。憲法9条についても現実路

線です。自衛隊に入るくらいだからどちらかというと保守的だし、安倍元首相へもシンパシーを感じていたようです。

それが2020年9月に安倍元首相が旧統一教会に近い存在で、教団幹部とも深いつながりがあることが分かったあたりから、ツイッターの表現が変わっていきました。最後の方では「安倍政権がどうなろうとオレの知ったことじゃない」と書いている。また、安倍さんに近い識者たちが「旧統一教会と関係がある」ということも指摘するようになります。旧統一教会が母親を奪い、家族を離散させ、自分たちの人生をめちゃくちゃにしたという思いが強かったのでしょう。

山上容疑者の叔父によると、一歳歳上の兄が小児がんになって手術をし、そのあたりから母親がどんどん信仰にはまっていった。母親は兄のことばかりしか考えていなかった。本人は子どもの頃、寂しい思いをしたようです。でも兄のことは大好きで、彼の家族に対する愛情を吹き切ることができなかった。例えば、母親はどうしようもないとか、兄もだめだとかどこかで割り切ることができていれば、いろんなものを抱えて生きていかなくても済んだはずです。母親や兄に対する愛情の裏返しといえます。

2015年に「普通に生きていればいいこともあったはずなのに」と兄の自殺の際には、泣いていたという山上被告ですが、エタノールを飲んで自殺しようとしています。その時に兄や妹に自分の保険金を残そうとしています。家族への愛情に飢えていたはずですし、母親をどこかで理解したいと思い続けながら、兄にも生き続けてほしいと願っていたのではないか？　家族への愛情を感じます。

酒やタバコや女性や、他のことに逃げようと思えば逃げられたはずです。そうではなく、純粋に殺すための手段と方法を純化していきました。中に入った刑事が「武器庫のようだった」と語ったと言われるくらいかなりの数の銃を製造していましたし、火薬を作るために乾燥させるための倉庫を借りたりしています。これには危険を伴いますし、結構徹底しているんですよね。地頭の良さもあり、大学には母親の寄付行為によりお金がなく、行けていませんが、ツイッターを見るかぎり冷静でとても頭のいい人なんだろうと思いますし、ひたむきな面もある。もっと違う方向に向かっていれば全然違う才能を発揮できたんじゃないかと思います。

2020年1月26日のツイッターに「オレが14歳の時、家族は破綻を迎えた。統一教会の本分は、家族に家族から窃盗・横領・特殊詐欺で巻き上げさせたアガリを全て上納させることだ。70を超えてバブル崩壊に苦しむ祖父は母に怒り狂った、いや絶望したという方が正しい。包丁を持ち出したのその時だ。祖父はオレたち兄妹を集め、涙ながらに土下座した。自分の育て方が悪かった、父と結婚させた事が誤りだった、本当に済まないと。オレはあの時何を思えばよかったのか、何を言うべきだったのか、そしてそれからどうするべきだったのか、未だに分からない」と書き記しています。どれだけ悲惨な状況に追い込まれていたか、想像するだけで胸が痛みます。

## ■足立正生監督が映画化

――映画監督の足立正生さんが山上容疑者による銃殺事件をドラマ化した「REVOLUTION+1」〔注1〕という映画を撮影しました。事件翌月の8月にクランクインし、8日間の撮影をへて編

※以下の注は全て取材者によるものです。

注1 『Revolution +1』：2022年7月8日に奈良市内

**集作業を行い、9月27日の安倍氏の国葬の日に合わせて東京・渋谷のロフト9などで特別版（50分）が上映されました。完成版（75分）は2022年末から全国で上映されていますが、この映画についてはどのように思われますか？**

**望月** 私はあの映画の脚本を足立さんと共同で書いた井上淳一さんと知り合いだったので、映画の製作段階からかかわり、撮影現場に何度か足を運びました。8日間の撮影ですし、映画制作のピッチが早いなと感じましたが、事件の考証面などで協力しました。

映画のラストは主人公の妹の語りで、希望を持たせる内容になっていますが、制作段階ではそうではなかった。足立さんは妹をテロ犯にして国葬の会場の日本武道館を爆破するつもりでした。でも流石に妹が実在するのだから、それはやめた方がいいと、私や藤原恵美子プロデューサーは反対しました。妹さんは山上容疑者に漫画の差し入れもしていますし、山上容疑者も無差別殺傷はしたくないので銃にしたと供述していたようですし、爆破はやめた方がいいと私たちから言われて、足立さん、最初は抵抗していたようですが、最後は、映画館で上映することも含めて、色々考え、妹を爆破犯ではなく、ジャンヌ・ダルク的な希望が託せるような描き方となりました。ただ、2022年の国葬直前に新宿ロフトで行われた試写会と、3月から渋谷のユーロスペースなどの映画館で行われる映画は、ラストや途中のシーンがいくつか変わり、追加の撮影も行ったため、より見やすく観客に訴えるものになったように思います。

**――渋谷のロフト9での上映の際に足立監督が「若松孝二なら映画の最後をドカーンとやって終わるけど、オレはこの歳で成長したからやめた」と話していましたが？**

**望月** 妹は漫画の差し入れをし、最近は山上被告が「大変だからもう来なくていい」と言っ

で発生した安倍晋三元首相の銃殺事件をドラマ化した作品（本編は75分）。足立正生監督。8月に制作を開始し、8日間の撮影をへて、9月27日の「安倍国葬」の日に合わせて都内や名古屋などで特別編（50分）が緊急上映された。テーマは「家族、連帯、愛」で、主演はタモト青嵐さん。映画は獄中にいる山上徹也被告を思わせる青年が自身の生い立ちや家族関係、事件に至る経緯を回想する形でストーリーが展開する。主人公は家族を崩壊させた旧統一教会に恨みを募らせ、教会と深い関係にあった安倍元首相の殺害を実行するが、足立監督はこの事件を「復讐ではなく、決起だった」と表現する。2022年12月から劇場公開されている。

たというニュースも流れました。ニュースを見ても兄は妹を、妹は兄を思いやっているように感じます。しかし、あれだけの短時間でよく制作できたなと驚きです。安倍氏の国葬の日には渋谷のほか、名古屋や石垣島とか全国で特別版を上映したようです。でも鹿児島は映画館の入っているデパートに脅迫電話があったため、上映できませんでした。

映画の中で山上被告の父親がイスラエルのテルアビブ空港乱射事件（1972年5月）で死亡した日本赤軍の安田安之と京都大学工学部の同級生で、しかも麻雀仲間だったという話が出てきます。これは週刊文春に載った記事で知ったそうです。

安田は父親から「医学部に行け」と言われていたのに工学部に進んだので勘当され、映画でも麻雀で学費を稼いでいるというシーンがあります。山上被告は父親が自殺したあと、父親の日記を読み返してそうした過去を知るという設定です。足立さんは「アラブの星になる」と言って信念を貫いた安田と、お見合い結婚で建設会社の取締役になった父親を比較して描いています。山上被告の父親はトンネル工事が続き徐々に精神を病んでいった。そんな父親の若い頃のことを日記で知り、「俺は何をやってるんだろう」という悶々とした気持ちに駆られていく。これは足立さんの想像ですが、山上容疑者は日記を読み返しながら「俺は星になれるのか?」と考え始めるんですね。

それに旧統一教会の「カルト2世」は信者の親から「異性と交友するとサタンに引き込まれる」という教えを聞かされて育っているので、信者にならなくても、異性と交友がうまくできない人が多いんです。いくつになってもそういうふうになれない。元信者のジャーナリストから聞いたことです。山上容疑者が女性とうまく関係が結べなかったのも、それはマザコンのせいではないんです。「カルト2世」の特徴の一つです。そういう「カルト2世」がすごく多くて、皆、そういうふうに言われるとすごく傷ついてしまうそうです。

いずれにせよ今の若い人は、「カルト2世」に限らず、がんじがらめになっていて可哀想だというのが映画を撮った足立監督の思いです。足立監督は「自分が若かった頃には言いたいことを言えてもっと自由だった、でも今は将来に希望を見出しにくいので、若者は周囲に合わせて大人しく生きていくしかないように見える、色々なことに縛られていて可哀想だ」とも話しています。特に「カルト2世」の人たちは誰からの支援もなかったということが山上被告だけでなく、他の「カルト2世」たちの告発によって明らかになっていきました。山上被告のツイッターには、「福島の被災地の人たちは、家族を失ったり、家を失ったりしても、行政が助けてくれる」といった趣旨の書き込みもありました。期限はあっても仮設住宅や住宅手当など政府の支援は確かに十分ではないですが、一定の支援はありました。山上被告はツイッターで、被災者は自分に比べれば、支援してくれる行政がある、彼らさえも幸せに見えてしまうという趣旨のことを書き込んでいました。これは「カルト2世」たちの状況、統一教会と自民党との問題を長年放置してきたメディアの責任でもあります。

## 旧統一教会のニュース

**望月** 私が大学に入学した1995年頃はテレビで合同結婚式を派手派手しく報道していたのを覚えています。「(桜田)淳子の壺」の話もワイドショーが騒いでいた記憶がうっすらあります。その旧統一教会問題がずっと水面下では収まらず続いていたんですね。しかも数億円といった巨額献金問題だけでなく、今回、韓国がアダム国家で日本がエヴァ国家なので、エヴァはアダムに奉仕しなければいけないといった歪んだ「教義」も明らかになりました。被害者弁護団の記者会見に来られた「カルト2世」の女性は、合同結婚式でも費用は韓国の人の場合、13万円でいいのに、日本人の女性は130万円払わされる、文鮮明の指示で結婚させられた相手は日本国籍が欲しいだけの男性で殴られるなどのDV（ドメスティック・バイオレンス）がひどく、辛い思いをさせられたという話もありました。一人目とは離婚、二人目も文鮮明の下でのお見合い結婚だったらしいですが、クレジットカードを使い込まれるなど被害を受けて、二度目の離婚。母親とは以来、絶縁して会ってもいないということでした。信じられないような話が多かったですね。

1995年ごろにあれだけ報道された旧統一教会のニュースがメディアからパッタリと消えたのは、オウム真理教の事件（1994年6月松本サリン事件、1995年3月地下鉄サリン事件など）があまりにも衝撃的だったからと言われています。印鑑商法とか巨額献金とかではなくて、オウム真理教の場合は組織的な殺人でしたから。ジャーナリストの有田芳生さんも言っていましたが、旧統一教会の問題はオウム真理教にかき消されちゃった感じですね。教団幹部が自ら殺人を犯しているわけですから。メディアは100％そっちへ行ってしまった。

でも問題の深刻さは30年近くたっていても変わっていなかった。小川さゆりさん（仮名）の記者会見の最中に彼女の両親から「娘は精神的な病を抱えているから、娘の言う事は信じないでくれ」などと書かれたＦＡＸが送られてきました。非常に辛かったでしょうが、さゆりさんは涙を流しながら「パートナーに支えられて今は正常です」とはっきり答えていた。しかも親への感謝もきちんと言っていました。その上で、「私の言葉を信じてくれるなら即解散してほしい」と明確に主張している姿が印象的でした。子どもは誰も最後は親に愛されたいと思っているはずだから、すごく辛かったと思うんです。さゆりさんも自殺を考えたことがあったそうです。

――親を否定することは自己否定につながりますからね？

**望月** 親は、何代も前の先祖の苦しみを解放する「先祖解怨（かいおん）」とかいう教えに従ってさらなる献金をしてきたわけです。子どもたちが先祖解怨によって救われ、幸せになれると信じているし、子どもたちも刷り込まれてきたわけです。教団側はそうした弱みを利用していると思います。記者会見で勅使河原秀行・改革推進本部長が「先祖解怨というのは教義の中に入っていません」と言っていました。「それは原理講論にはありません」「教義にはそういう話はありません」と。信者はみんな教義だと思って献金しているわけです。自分の親がそのためにさんざん献金してきたのに、突然、勅使河原氏から「そんなことありません」と言われたら愕然としますよね。勅使河原氏も毎月給料から献金を出しており、「自分はだまされているとは思っていない」と開き直っていましたが、信者は教義だからと必死に献金しているわけです。「それってちょっと違うのでは？」と思っても言いだしにくいでしょう。

政府が旧統一教会対策として設置した電話相談には、今までは誰にも相手にされなかった山上被告のように孤立無援の中で苦しんできた「カルト２世」や親族、家族からの相談が殺到し、5日で一千件を超えました。メディアはじめ、みんなが関心を持ってくれているからこそ声を上げているし、弁護団はとにかく旧統一教会を解散させろと言って、「カルト2世」の人たちもそれを求めています。教団に解散命令が出るかどうかは別として、病気になっても治療費さえ払えずに自殺する人もいる。こうした家族離散で苦しんでいる「カルト2世」をどう救済するのかが問われています。それには財政支援だけでなく、心のケアも重要です。社会の仕組みの中で福島の被災地の人たちと同じように救済する必要があります。こんなに苦しんでいる人がたくさんいるということに、取材をしていてもショックを受けました。

「カルト2世」の人たちの中には親戚にも見捨てられ、友だちもいないという人が多い。好きな人ができても「人を好きになるとサタンが来る」と小さい頃からすり込まれたことで、人を好きになることに罪悪感を持ってしまう2世もいるそうです。中には、結果、自殺に追い込まれる方もいるそうです。2世の人たちが声を上げやすくなることで、苦しくても自分だけじゃないとか、この痛みを理解してくれている人がいてくれるとか、弁護団がついてくれているとかというだけでも気持ちが全く違うと思います。人に言えず、悩んできた2世は、さゆりさんの姿を見て、ここから抜け出そうと思うかもしれません。

## 安倍元首相の銃殺事件でメディアは変わったか？

**望月** 安倍元首相の事件のあと、ＮＨＫは報道現場の空気が変わったといわれています。菅政権の時にクローズアップ現代の国谷裕子さんがキャスターを外されてから、上から「憲法改正と安保法制はやるな」と言われ、現場の人たちはそうした企画書を書けなくなっていたようです。企画書を書くだけで、政治部や上層部に目をつけられる可能性があるので「安保法制と憲法9条の企画は絶対出すな」という話があったとも聞きます。それぐらい政治部を介して、官邸のNHKへの監視の目が光っていた。国連の報道の自由を調査にきたデイヴィッド・ケイ氏の報告でも出てきましたが、菅義偉元首相が官房長官時代、「ああいう番組は放送法に違反しているんじゃないの」と番記者に話す、それが上層部で共有されるだけで、テレビ局の幹部はびびってしまい、平伏していたと聞きます。菅氏はそういう意味では、アメとムチを見事に使いわけ、政治部記者やテレビ局幹部をコントロールしていたと思います。岸田政権になって松野官房長官がそうした締め付けをやっているという話は全く聞きません。しかし、相変わらず記者会見にいける記者は、各社一人で政治部だけ、官邸会見はひどいものになっています。

朝日新聞は最初、旧統一教会の報道には、かなり腰が引けていました。1987年5月、朝日新聞阪神支局が猟銃を持った男に襲撃され二人が死傷した赤報隊事件〔注2〕で、一時期、犯人が旧統一教会関係者ではないかと言われたことがあります。公安警察は、旧統一教会で銃などを所持していたり、自衛隊にいた経験がある人間など20人近くをリストアップしていましたが、当時は、宗教に警察が捜査のメスをいれることが難しく、捜査をあきらめたと聞いています。犯人は、旧統一教会の信者だった可能性が指摘されている中で、朝日新聞は、旧統一教会問題をまた派手に報道して、狙われたら大変なことになると慎重になっていたようです。そもそも朝日新聞はスター記者がさまざまな場で発信し活躍していた昔と

**注2　赤報隊事件**：1987年5月3日、朝日新聞阪神支局に散弾銃を持った覆面姿の犯人が侵入し、記者2人を殺傷。その他、1990年までに朝日新聞名古屋本社社員寮の猟銃発砲事件、朝日新聞静岡支局の爆発未遂事件、中曽根・竹下両元首相脅迫事件、愛知韓国人会館放火事件などが相次いで発生。犯人は「赤報隊」を名乗り、「反日分子には極刑あるのみ」とする犯行声明を通信社に送った。警察庁は「広域重要指定116号事件」に指定、2003年に控訴時効を迎えた。

違って、記者が社外で発言したり、目立つ行動をとることに上層部が神経を使い始めています。朝日の記者が積極的にツイッター発信をすることはなくなったように感じます。

その点、東京新聞は、記者がさまざまなツールを使って発信することへの圧力は皆無です。国葬の問題でも、ぶれることなく、安倍元首相の国葬問題を一面トップで扱い続けました。朝日新聞は500億円の赤字を黒字化させましたが、それでも部数減に歯止めがかからず、現在、社内でリストラが着々と進められていると聞きました。全く他人事にはできない話ですが、45歳以上の10人に一人が2022年9月から早期退職の対象になると聞きましたから、そういう制度がはじまると、記者は会社の方針ややり方に不満があっても異を唱えにくくなるように思います。

早期退職の対象になると「追い出し部屋」なる場所に行かされ、お悔やみ原稿を書かされたり、スポーツや高校野球のスコア付けのような業務をやらされると聞きました。ここに送られるともう普通の取材をして記事を書くことができなくなります。コピーの取り方が悪いと怒られて、プライドを傷つけられて辞職した60歳の記者もいるそうです。「追い出し部屋」の本当の狙いは月に1、2本しか記事を書かないのに給料が高い50代以上の層を首切り対象にすることのようですが、45歳というのは、いわゆる書き手としては油がのっている世代でもあるのに、この早期退職勧奨制度ができると、のびのび意見を言うべき中堅も萎縮してしまう気がします。

## SNSとインフルエンサー

——ここで交流サイト（SNS）についてお伺いしたいと思います。インターネット掲示板の「2ちゃんねる」の創設者でユーチューバーのひろゆき（西村博之）さんが沖縄県名護市辺野古の新基地建設に反対する市民らの座り込みを揶揄するような発言をSNSに投稿し、反対派の人たちから激しい批判を浴びました。ひろゆきさんは「反対派の人たちは『自衛隊が出て行け、米軍基地は出て行け』と言っているが、基地がなくなって、得するのはロシアと中国だ」「沖縄でどれだけ反対運動や県民投票をやっても工事は止まらない。日本の国会を動かさない限り、もう変わらない」と自分の行動を正当化していますが、どう思われますか？

**望月** 沖縄の基地問題に取り組んでいる人たちは本当に傷ついていました。ダンプの運転手をしている人は「座り込みに全部は参加できないけど、毎朝、必ず5時に起きて時間をかけて現場に行って15分だけでも座っている。少しでも抗議の意志を示したいし、そんな自分では駄目なんですか？」と言っていました。なんとか時間を割いて抵抗の意志を示したいという人がたくさんいます。国が動かないから座り込みに多くの人が参加している。なんでそんな状況になっているのかを理解しようともせず、しかも現地の人たちに話を聞こうともしない。何も知らない、理解しようとしない彼らが「座ってないじゃないですか24時間、言葉の定義を間違ってますよ」とか言って批判する。もっときちんと考えようと思うならそんなことにとらわれませんよね。

あるジャーナリストが言っていました。あのような言説は衰退していく日本の象徴ではないかと。皆落ちていくんだから、それなら相手を蹴落としてやろうみたいな……。ただ今回ばかりは、ひろゆきさんもさすがに「しまったな」と思ってるんじゃないかなと思いますよ。彼はインフルエンサーだから、「バカなこと言ったかな?」くらいのことは分かっているると思います。元々は炎上すればいいという商法だし、若干、旧統一教会問題では、真っ当なことを言っていました。しかし、彼は本質的には2ちゃんねるや今アメリカで問題になってる4ちゃんねるといったネトウヨやヘイトの巣窟のようなチャンネルを管理・運営してきた人なんです。そっちの層に応えるためにああいうことをやったんじゃないかと思います。

ところで、調べてみたら、彼はプロバイダー制限責任法によって、プラットフォームを提供しているだけで、名誉毀損の内容を書きこまれたら、「お前の責任だ」と損害賠償で訴えられたわけです。それが今回、法律が変わって、気がついた時に削除すれば責任が問われなくなった。だから「今はもう全てが時効で問題ないんだ」という言い方をしていますが、プロバイダー制限責任法は2002年にできているんですね。読売新聞が調べたところによると、実はひろゆきさんは少なくとも47件民事で負けています。総額は4億3500万円のようですが、利子が1日1万円付いてくるため、どんどん利子が増えて、今は大体30億といわれています。民事裁判で負けた慰謝料を払わずに踏み倒しているんですよ。私がインタヴューした弁護士が言っていましたが、差し押さえによって200万円だけ取り立てることができたそうです。他は皆、ほぼ踏み倒されているのではないかといわれています。それで膨れあがって30億になっている。その勝訴したケースの方の場合はまず通知をして、削除依頼をしたが、削除されることはなかったので提訴した。ひろゆきさん側が弁護士を立てて争う姿勢を見せないので裁判がしばらく開かれなかった。結局。ひろゆきさん側は何も言ってこないまま、半年後に裁判所で削除命令と損害賠償の支払い命令が出ました。

ひろゆきさん側はすぐに削除はしましたが、金は払わない。それで本の印税が入る口座を裁判所に差し押さえ命令を出させたそうです。

差し押さえられているところにお金を入れると取られちゃう。彼は会社の口座をいくつか持っていているそうですが日本で仕事をするとそこにお金が支払われる。フランスに行ったのも、彼は「時効になってきれいさっぱりになったから」と言っているようですが、債権の差し押さえから逃れるためではないかとも弁護士などには指摘されています。踏み倒している慰謝料30億円ということをわかっていながら、相変わらずテレビ東京やアメバTVなどのメディアがひろゆきさんを使って視聴者数を稼ぎ、多額の謝礼を支払っているのはおかしいですね。

2022年5月にアメリカのニューヨーク州バッファローのスーパーマーケットで13人が死傷する銃乱射事件が起きました。容疑者は白人の18歳の男性で犠牲者の多くは黒人でした。容疑者は元々、差別主義者ではなかったけど、「4ちゃんねるで真実を学んでレイシストになった」と供述しました。しかも長大な犯行声明を4ちゃんねるにアップしていました。ひろゆきさんが買収した4ちゃんねるは今アメリカで問題視されていています。ニューヨーク州の長官が異例の記者会見で4ちゃんねるを名指しで批判しました。今回のテロ攻撃は憎悪を広め促進するSNSの危険性を明らかにしたのだと。

こうした問題を起こしながら、ひろゆきさん自身は「死刑になるなら払うけど、死刑にならないなら払わない。やっぱりこの国はネグったところで身体的な拘束を伴わないから関係ないです」と平気で言っている。最近、法律改正で民事事件の賠償にきちんと応じない場合、刑事罰を受けることに変わりました。そしたら途端に賠償金が支払われたとも聞きました。そういう状況がひろゆきさんにはあるわけです。金融庁は2022年8月に投資初任者向けの動画で、ひろゆきさんを使って、金融リテラシーや資産形成の重要性についての対談をユーチューブに公開し、「債務を踏み倒している人間を使うのか」と批判を浴びました。でも金融庁は批判されても動画は削除していません。アウトローな生き方をしている人をインフルエンサーだと言って持ち上げるメディアや公的機関には大きな疑問を感じます。

## オンラインメディアの広がり

**望月** 岸田さんが首相になって「新しい資本主義」というのを言い始めました。でも具体策がないと批判されています。政治学者の白井聡さんと『日本解体論』(朝日新書)という本で対談しましたが、白井さんによると、安倍政権には岩盤支持層がいて政権を支えていた、だけど岸田政権ではそれが離れて熱心に支持してくれなくなった。それは「右寄り」ぶりが足りないということで、自民党としても勢いが出ない。だから「安倍さんは良かった」ということになってしまうというのです。

――その後、岸田政権は防衛費の増額や敵基地攻撃論の閣議決定、原発の新設・再稼働と安倍政権でもできそうになかったことを次々とやろうとしています。まるで安倍氏の亡霊が取り憑いているようです。岸田氏の所属する自民党内の宏池会はリベラル派と言われてきましたが、これも「右寄り」の姿勢を見せることで政権維持のため岩盤支持層の取り込みを図っているということでしょうか？

**望月**　白井さんは２０２２年は日本の近代史の中で節目の年だったと言っています。１８６８年の明治維新から１９４５年の敗戦までが77年、その敗戦から２０２２年も77年です。２０２２年は戦前と戦後の長さが逆転する分岐点だったんですね。白井さんは「３・11」の福島第一原発事故によって、日本が原子力発電にこだわってきたのは核武装の能力を保持するためだったことが明らかになり、戦後の民主主義も平和主義もただの建前に過ぎず、怪しくなってきたと語っています。この状況から抜け出すには日本は一回潰れてダメにならないと立ち直れないんじゃないかと。野党が弱いとなかなか政権批判はできていません。むしろ、国民民主党などは政権にすり寄っている有様です。

そうした中でメディアの劣化も進んでいます。今のメディアは報道機関ではなくて政府の広報機関であるといわれています。元々そうした批判はあったにはあったでしょうが、安倍政権によって権力側につくかつかないかでメディアが選別されるような状況が生まれたことは確かです。現場取材をしたことのないような人物が２０１２年に安倍氏のヨイショ本を書き、安倍氏の資金管理団体「晋和会」が大量に買い上げました。その後『月刊WiLL』や『月刊Hanada』といった安倍氏の強力なネトウヨ支持者によってもてはやされる雑誌が出てきました。権力者にメディアが簡単になびいた結果です。

**――権力との関係では、他のメディアも権力に忖度する点では変わりはないのでは？　安倍政権時代に官邸記者会見で望月さんがいくら質問妨害を受けても官邸記者クラブは望月さんを擁護しませんでした。東京新聞は社会部記者の望月さんが政治部のテリトリーである官邸**

記者会見への出席をよく認めたものだと思いましたが、それは本来あるべきジャーナリズムを理解してのことだったのかは若干疑問が残るところです。というのも東京オリンピックへの対応で、東京新聞を発行している中日新聞社はオフィシャルサポーターには加わりませんでしたが、「五輪中止」までは言及できませんでした。脱原発や国葬反対はしっかり報道したのに。販売や営業に配慮したからでしょうか？　そこに商業メディアの限界を感じます。メディア全体が怪しくなりつつある状況下で新しいオンラインメディアが増えているようですが？

**望月**　デモクラシータイムスはボランティアとカンパで成り立っているユーチューブ・チャンネルです。ホームレス追い出しの渋谷美竹公園の強制封鎖問題やベトナム人実習生の死産の問題など事実報道では伝えきれない深層を掘り起こして解説するのが狙いです。2022年12月24日にはアベノミクス崩壊と日銀をテーマに、ジャーナリストの北丸雄二さんや「情報公開クリアリングハウス」理事長の三木由希子さん、経済学者の金子勝さんと一緒に出演しました。視聴回数は4・2万に達していました。

アークタイムズは朝日新聞を辞めた尾形聡彦さんが、権力やいまの権力になびくメディアにも焦点をあててみようと始めたオンラインメディアです。2022年12月13日には政治と宗教をテーマに、ジャーナリストの青木理さん、社会学者の宮台真司さんがゲストで出演しましたが、襲撃事件後、アークタイムズでは初出演だった宮台さんが、言論テロには、自分自身が萎縮しないことで対峙していくしかないと覚悟をもって臨んでくれた姿には、胸を打たれました。こちらの視聴回数は6万近かったです。どちらのオンラインメディアもテレビのように政権に忖度することもなく、時間をかけて問題の本質に迫ることができるので、今後も期待できると思います。

尾形さんはアメリカのホワイトハウスでの取材を経験している記者ですが、ホワイトハウスにも大統領を囲んで主要メディアのベテラン記者だけが集まるインナーサークルはあるが、日本の官邸記者会見みたいに報道官などの話を黙って聞いて事前に質問を投げるということはもちろんないそうです。インナーサークルに事前レクチャーをしていてもズバズバ質問はするし、大きな問題があると記者同士が連帯することもあります。そうしたベテラン記者の多くは独立心が強いので、編集長などを経験して50歳を過ぎると新たなメディアを作ろうと思い立つそうです。アメリカの連邦最高裁は2022年6月に人口妊娠中絶の合憲性を認めないという判決を下し、衝撃が走りましたが、実はこのニュースはオンラインメディアのポリティコがリベラル派ではなく保守派の判事の意見書草稿を入手して報じたものでした。特ダネです。それを各新聞がニュース源を明らかにして報道します。メディアの連帯が進んでいるんですね。

**――アメリカのオンラインメディアの走りは、2008年創刊の「プロパブリカ」〔注3〕ですね。2010年と2011年に連続でピュリッツァー賞を受賞し、大きな話題になりました。調査報道に特化したメディアですが、「社会にインパクトを与える」目的で既存メディアと協力関係にあります。日本でもこうしたメディアの連携ができなければ権力に対峙するというジャーナリズム本来の機能は果たせませんよね?**

**望月** アメリカのオンラインメディアは、当初は30くらいだったのが、今では700くらいに増えているそうです。メディアの連携ではありませんが、記者同士が連帯していこうと

**注3 プロパブリカ**:2008年に米国カリフォルニア州のサンドラー財団が創刊した調査報道専門のオンラインメディア。2008年のリーマン・ショックで米国の新聞業界が経済的危機を迎え、特に調査報道部門が縮小したことに危機感を抱いた財団が公共的なジャーナリズムを再興しようと30億ドルを投入して創刊。2005年8月に米国東南部を襲ったハリケーン「カトリーナ」の被災地で起きた「安楽死」事件の調査報道で2010年にピュリツァー賞を受賞。翌2011年にもヘッジファンドの陰謀を暴露して同賞を受賞し、世界中の注目を集めた。既存メディアとパートナーシップを結ぶほか、オンライン上でアップしたプロパブリカの記事は著作権を留保する「クリエイティブ・コモンズ・ライセンス」に基づき、他のメディアが繰り返し使用することができる。

する動きはあります。TBS報道特集のキャスターだった金平茂紀さんは報道キャラバンで全国を回ると言っています。自らのネームバリューとエネルギーで新たなメディアやネットワークを立ち上げるのではないでしょうか。こうした動きが記者やメディアの連携に繋がっていってほしいですね。記者クラブを出て新たなメディアを作ろうという動きが広がっています。今後が楽しみです。

とはいえ、日本ではメディア間の連携はなかなか難しいですね。官邸記者会見で孤立した私を朝日新聞の南彰記者は助けてくれましたが、官邸記者クラブは相変わらずのままです。アメリカのように、記者クラブを雑誌やフリー記者、それに外国人記者にもオープンにしていくことが大切でしょう。

## ■アジア系外国人に厳しいニッポン

――望月さんは東京新聞（12月11日付）で、国家戦略特区の家事支援事業で来日していたフィリピン女性に対するパワハラ被害について特ダネ記事を書きましたね。人材を受け入れる事業者が研修中にパスポートを預かって長期間返却しなかったり、ボーイフレンドをつくらないという誓約書を書かせたり、殺虫剤のスプレーで脅したりとひどい内容ですね。内閣府もさすがに改善を求める行政指導を行なっていたそうですが、ベトナム人技能実習生の取り扱いの問題もありましたし、アジア系外国人に対する差別的な意識を感じますね？

**望月** 家事支援事業は、第二次安倍政権の「すべての女性が輝く社会づくり」の一環で内閣府が手がけ、2017年から外国人の受け入れを始めました。日本の女性に働いてもらうため、フィリピンの女性に家事をやってもらうという趣旨ですが、国家戦略特区の東京都や神奈川県、愛知県、大阪府、千葉市などで約470人が働いています。「ボーイフレンドをつくらない」との誓約書は妊娠して仕事ができなくなることを恐れてのことですが、私生活を拘束する人権侵害行為です。「へたくそ」「フィリピンに帰れ」といった事業者側のひどい言動も明らかになっており、移民問題に詳しい京都大学大学院の安里和晃准教授は「事業者は女性たちを人として扱うよう、意識を変えなければならない」と厳しく批判しています。

名古屋入管でのウイシュマさん死亡事件〔注4〕では、体調不良を訴える女性を職員が動物のように扱っている映像が残っていました。遺族は名古屋入管の局長や担当職員を殺人や保護責任者遺棄致死罪で刑事告訴しましたが、2022年6月に名古屋地検は不起訴にしました。ところが、名古屋第一検察審査会が12月に「不起訴不当」とする議決を出し、名古屋地検が再捜査することになりました。他にも入管施設で外国人が死亡したり、自殺する事件があったにもかかわらず、政府は難民認定申請を却下された外国人の本国送還を容易にし、入管当局の権限を強化する入管法の改正案を国会に提出しようとしていましたが、ウイシュマさんの事件が影響したのか、国会提出を取りやめました。岸田政権は、しかし、2023年1月から始まる通常国会で改正法案を提出する見込みです。改正案の骨子は2021年に廃案になったものとほぼ変わらないと言われており、日本学術会議法改正法案と同様、ここでも岸田政権の横暴さが出てきました。正直、安倍・菅政権よりひどい政権だと思っています。

**注4　ウイシュマさん死亡事件**：2021年3月、名古屋出入国在留管理局に収容中のスリランカ人のウイシュマ・サンダマリさん(当時33歳)が体調不良を訴え死亡した事件。ウイシュマさんは尿検査で「飢餓状態」を示す結果が出ていたことが判明し、遺族は「点滴など適切な治療があれば死なずに済んだ」として、2021年11月に殺人罪で入管側を刑事告訴。名古屋地検は2022年6月に不起訴としたが、12月に名古屋第一検察審査会が「不起訴不当」を議決し、業務上過失致死罪の成否を再検討するよう求めた。

――家事支援事業や技能研修生のパワハラ問題は入管施設での外国人の差別的な取り扱いの問題と一脈通じているように感じます。日本の難民認定率の低さが問題の背景にあるのではないでしょうか。

## もっと自由でいてほしい

――フジテレビ政治部総理番の20代の女性記者がツイッターで「私が取材先の立場だったら『嫌』と感じることはしないようにしています。相手が心地いいと思える距離で相手の心に寄り添い、信頼されるような記者とは、と客観的に考えながら行動しています」と書きこみ、心底驚きました。ここまで記者は堕落したのかと。記者クラブ制度に飼い慣らされたメディアや記者は「権力監視」という言葉を忘れてしまったのか、捨ててしまったのでしょうか。これではネトウヨ・メディアとあまり変わりありませんね？

**望月** ひろゆきさんの問題では、ネット上で強者が弱者を叩くという構造が見えてきました。メディアに対する批判も広がっています。そうした中、ニュースを伝えるメディアの中心は結局、テレビではなく、新聞になっていくのではないかと思います。記者クラブ制度についてはいろいろ批判がありますが、各省庁に記者クラブがあるから取材しやすく、切り込んだ記事も出てくる。もちろん批判的な記事も出てくるわけです。一定の範囲内かもしれませんが、「言論の自由」にも寄与している面はあると思います。

私は新聞報道の面でまだ予算はあるし、事実を取材して伝えるという新聞本来の報道の良さは、これからも維持できるのではないかと思っています。ただ、紙媒体には限界がありま す。ネットでニュースを読むことをどこまで有料化し、読み手に納得感を与えられるかがポイントになっていくように思います。表現する主体としては、報道機関ではない個人が音で聞かせるラジオ、ポッドキャストが若い人の間で流行っています。自分でラジオ局を作って発信するという音声投稿サイトも出てきました。自分で録音・編集し、BGMサイトから好きな音楽も付けられます。ジェンダーにせよ、LGBTにせよ、自分の主張を5分とか10分とか発信し、聞きたい人が聞くというラジオです。これからは個人一人ひとりが持っている問題意識を発信するメディアとして既存のマス・メディアを超えて広がっていくことでしょう。

日本人に必要なのは一人ひとりの主権者意識だと思います。例えば韓国では民主主義を勝ち取ったという意識が強いですから若者の投票率は70%を超えています。政治は自分たちのものだ、自分たちで作るんだという主権者意識に満ちています。日本の若者の間では政治は「お上」がやってくれている、だから「お上」に楯突くとまずいみたいな感覚が広まっています。選挙にも行かない。

今回のひろゆきさんの騒動に関連して、自殺願望の若者の相談を受けるNPO法人を運営している20代の大空幸星さんがツイッターで、「座り込みやハンストは入管施設内等の限られた手段しかない人の手段として残しておくべきであり、10分の座り込みでも立派な抗議という論は行為の持つ意味を弱体化する」と反対運動における抗議手段の制限を主張し、ひろゆきさんを擁護しました。それに対する批判に「リベラルの排他性には反吐が出ます」

と反論しています。こんなことを平気で呟くのかとちょっと驚きました。

こうした日本の「ジェネレーションライト」の人たちは、経済も社会も停滞し躍動感を失った時代に特有の現象なのではないでしょうか。もっと世の中に活力があったら、考え方ももっと自由でいられたし、権力に対して物を言えたはずです。財界はおとなしくなってしまい、経済安保推進法案みたいに経済活動が縛られるような法律が出てきた時、経済界に力があれば、もっと政府の方針に強く抵抗していたことでしょう。でも現実は経団連が加盟している企業の多くが、補助金など含め、政府の世話になっており、政府に抵抗できなくなっています。与野党再編も政権交代もなさそうですし、そんな状況下で若い人たちは、かつてのように「ブランド」だけで会社を決めるということをしなくなっていると聞きました。いかに地域を活性化させ、持続可能なものにすることに自分たちが貢献できるか、自分自身の物差しと価値観で将来を考える若者が増えてきているようです。

こうした沈滞した時代にあって政治も経済も良くなりそうにないから、結局、強者の論理を拡散しながら、時にリベラルに受けるような言説も披露するひろゆきさんのような論客が出てくるのでしょう。2022年末の岸田政権の「安保三文書」の決定を受けて、南西諸島を中心としたミサイル要塞化と、全国で中国を射程とした中長距離弾道弾1000発の配備が進んで行きます。中期防衛計画での5年で43兆円、GDP比2%という数値は、完全に1月13日に行われた日米首脳会談への手土産として急いだ感があります。政府の防衛力強化を話すワーキング・グループのメンバーでさえ、この数値を議論の途中で知らされたと聞きました。財務省は当初35兆円という数値を示していたはずでした。安倍派や安全保障調査会を中心とした、国防族の議員たちが48兆円を主張していたと聞きます。財務省は積み上げげたとみられますが、岸田首相の43兆円というのは、ほぼこの中間を取って、自民党右派よりの数値にしたというだけで、根拠は何もないと思います。

こんな重要なことが国会で全く議論されず、国会閉会後にあっさりと閣議で決定されました。私たちの重要な税金の使い道が、軍拡にこれほど投じられていくことに怒りを禁じ得ません。２０２３年1月から、知り合いの女性研究者、ジャーナリスト、弁護士、活動家たちが、チェンジオルグというオンライン署名をはじめました。「#軍拡より生活」とのハッシュタグで、43兆円を撤回し、女性や子ども、若者、性的マイノリティへの投資、教育、軍需でない研究技術、少子化にこそ、税金を使っていってほしいとの訴えを岸田首相と与野党各党の代表、芳野友子連合会長にする予定です。1月13日に行われた日米首脳会談の内容を聞くと、完全なる日米軍の一体化で、台湾有事で日本が参戦することから逃れられないような状況が次々と既成事実化しています。

一方で、中国首脳部との対話は、首脳会談を含めて皆無です。これでは戦争をやろうとしているようにしか見えません。78年以上前の悲劇を再び日本は繰り返すつもりでしょうか。日々、政治や軍事の状況を取材していると、戦争の靴音がじわじわと忍びよっているように感じます。この危機的な状況の懸念を若者はじめ一人でも多くの人と共有し、アメリカ追随で政権維持を狙う、岸田政権の暴走をとめなくてはならないと思っています。２０２３年は、ジャーナリストたちの覚悟が問われる一年になると思います。

an interview with Satoko Kishimoto

# オランダ帰りの政治家が日本を明るく照らす
# ——岸本聡子インタヴュー

（取材：二木信、写真：小原泰広）

**profile** きしもと・さとこ

1974年東京都生まれ。環境NGOを経て欧州に移住。アムステルダムを本拠地とする政策シンクタンクNGO「トランスナショナル研究所（TNI）」に所属。新自由主義や市場原理主義に対抗する公共政策、水道を含む公共サービスの再公営化の調査や世界の市民運動をつなぐ活動に従事。2022年6月、杉並区長選に立候補し当選、杉並区初の女性区長となる。著書に『水道、再び公営化』（集英社新書）等。

資本と労働の再編成を確実に行う国際ルールは、資本家や持てるものの富を極端なまでに拡大させ続け、残りの庶民はそのために競争させられ自己責任を押し付けられた。それが世界貿易投資体制でのグローバリゼーションの実態でした。

気候変動という現象として表れている事態の背景には、大量生産、大量消費をはじめとする人間社会の文明そのものやグローバリゼーションがあり、さらに、先住民、農民の土地、種子、労働運動、途上国の債務、女性の権利獲得運動はどこかでつながっていて、世界の文化的、経済的、政治的な抑圧関係の原因には、現在の国際政治経済体制があるのではないか、という気付きがあったわけです。

「国旗に頭を下げることは私にとってはピンと来ないもので」と自分なりのささやかな抵抗を示しながら、それ以降はそうした儀礼的な振る舞いもちゃんとやっています。そこに変にこだわるよりもやるべきことがたくさんありますから。

西荻窪や高円寺の住民の多くは「いや、生き残る道はそうじゃない」というのを感覚でわかって共有しています。それは西荻窪や高円寺の庶民感覚であって、保守や革新といった政治的立場は関係ありません。

無所属の議員の方々もたくさんいますが、結局はパワー・ポリティクスで政治が行われてしまう。それが間接民主主義における議会の限界でもあります。私は、地方自治は与党対野党のポリティクスに留まってはならないと考えています。

岸本聡子氏は、2022年6月の杉並区長選（東京都）で、12年もの長きにわたって在任した当時の現職区長を僅差で破り注目を集めた。新人候補の劇的な初当選だった。たしかに、地方政治のさまざまなポリティクスも当選の間接的な原因ではあったかもしれない。前区長は、公用車不正使用疑惑や区議会における居眠りなどをはじめ、メディアなどでたびたび〝不祥事〟が取り沙汰されていた。だが、氏の存在はそうしたポリティクスの話題に収まるものではない。立候補する覚悟を決めたときの心境を問うと、氏は躊躇うことなく答えた。「自分のライフワークは社会正義、あるいは気候正義と多様性、下からの民主主義だと考えています」。そして、こう続けた。「これまではNGOで研究をしながら運動家としてやってきましたが、いまは区長として同様の問題に取り組み始めた。それは、表現方法が違うだけとも言えます」。現在、杉並区は再開発問題をはじめ多くの課題を抱えている。氏が考え、実践する地方自治や下からの民主主義とは何か。西荻窪の自宅で話を聞いた。

## 西荻窪に惚れちゃいました

――まだ日本に戻ってきて間もないですが、杉並区で生活してみてどうですか？

**岸本** じつは日本に帰って来ると決めたとき、「東京にだけは絶対に住みたくない！」と考えていたんですよ。

**――そうでしたか(笑)。でも、東京の大田区のご出身で、中学・高校と横浜で育ったそうですね。**

**岸本** そうです。だから、アイデンティティとしては関東人です。だけど、オランダのアムステルダム、ベルギーのブリュッセルで長く生活した身からすると、東京は人の住む場所じゃない、というのが私の感覚だった。私が長く住んだアムステルダムでもせいぜい100万人程度の規模の都市ですから、東京に人間の居場所はないと考えていました。

**――東京の人口は現在1400万人をこえると言われています。ロンドンが900万、パリが200万ですから、その規模は他の諸都市と比べてもやはり異常ではあります。**

**岸本** だから、日本に帰って来るのであれば、湖、山、川、海といった自然のある場所に住もうと考えていました。滋賀の琵琶湖の傍なんかいいなって。湖で泳げるし、京都にもすぐ行ける。私にとっては、京都でさえ住むにはちょっと大き過ぎると感じるぐらいでしたから、都会とはそれぐらいの距離感の場所で生活しながら、市民運動にも関わって草の根の民主主義を育んでいこうと考えていました。お金もないから不安もありましたけど、下の息子も高校生になったら、そういうロープファイルな半農半Xの生活ができるかなと。なかばそんな隠居生活をぼんやりイメージしていたんですよ。

**――〝第二の人生〟ではないですが、人生の方向転換を計ろうとされていたのですね。**

**岸本** そうですね。トランスナショナル研究所(TNI)というNGOに2003年から所属して国際的な経験をしてきましたが、人生においてさらなるチャレンジをしたいと考えていましたから、お金のかからない生活で農業をやったり、発酵食品を作ったり、できるだけ自給自足に近い生活をしながら、原稿を書いたり英語を教えたりして最低限の金銭収入を得て、そういう立場から地方政治に関わるつもりでいました。どんな地域にも政治はあるわけですから。

**――選対本部長を務めた内田聖子さんが出演された「デモクラシータイムス」の「岸本さとこはなぜ勝てた⁉」というYouTube動画を観ました。誰を擁立するか決まっていない段階で、2022年1月に杉並区の市民運動のネットワーク「住民思いの杉並区長をつくる会」が発足して選挙運動が始まっていたそうですね。そもそも岸本さんはどのような過程を経て立候補に至ったのでしょうか?**

**岸本** 日本に帰国してからは両親に会ったりして過ごしていたんです。そんなときに「住民思いの杉並区長をつくる会」から「岸本聡子を杉並区長選の候補者に擁立したい」というお誘いがあって、ZOOMで話をしたんです。そこで「とにかくいちど杉並に来てほしい」と言われました。だけど、正直言うと、渋る気持ちがありましたね。「会ったら説得されちゃうだろうな」って。

**――渋る気持ちがあったんですね。**

**岸本** ありましたよ! でも、せっかくのお誘いだし、いちど杉並に行ってみようと決心しました。そこで、いまでは私がレジェンドとして敬愛する市民活動家の女性ふたりと出会うんです。おふたりとも私の母よりも上の年齢で、おひとりはかつて先生として、おひとりは保健師さんとして働かれていた方です。さらに内田聖子さんを加えた4人でまず話し合いました。そして2回めは、阿佐ヶ谷にある立憲民主党の吉田はるみさんの事務所にうかがいました。すると、すでに「岸本聡子の選挙ポスターの写真はいつ撮る？」みたいな話になっていて（笑）。

それがほぼほぼ２０２２年３月末ですね。とうぜん「住民思いの杉並区長をつくる会」は、２０２１年10月の衆議院議員総選挙に東京８区から立候補して初当選した吉田はるみさんを応援したグループも多く関わっていました。だから、彼女たちには、吉田さんが約14万票を獲得して当選できた勢いがあって、自分たちが岸本聡子を応援すれば勝てるという自信もあったんです。

**――内田さんが「デモクラシータイムス」で、岸本さんの区長選では、野党共闘よりも前に市民運動の後押しがあったことが重要だと強調されていました。**

**岸本** 吉田さんのときは国政選挙ですし、彼女は立憲民主党所属ですから、野党共闘と市民運動が連携するかたちですよね。一方、「住民思いの杉並区長をつくる会」は、杉並区長選で、市民が先頭にいる草の根の市民運動の選挙をやりたい気持ちが強かった。つまり、吉田さんの場合は、野党共闘の枠組みで市民運動がバックアップしたけれど、私の場合は逆です。市民運動が先にあって野党共闘がバックアップした。そこには市民運動の方たちはこだわりますし、野党からの推薦も取らない方がいいのではないか、という話さえありました。

**――ただ、結果的に、立憲民主、共産、れいわ、社民等からの推薦を受けて、選挙に臨まれています。**

**岸本** 私はそのあたりは、合理的、現実的、実務的に考えますからね。市民運動のグループも選挙のノウハウは持っているけれども、メガホンや車はどうするのか、選挙の資金はどうするのか、ということを考えるのであれば、政策を共有できる野党の人たちと連携した方がいいですよね。私ははっきりと、そうした野党からの組織的なサポートなしに選挙戦を戦う自信はないと伝えました。

もちろん市民運動が先にあって野党共闘にバックアップしてもらうという考え方や選挙の戦い方が大前提です。だけど、まさか自分が候補者になるとまでは考えていなかった。だから私はあれよあれよという間に神輿に乗った感じもありました。まず率直に、「なぜ地域の人が立候補しないの?」という疑問がありましたから。

杉並区の市民運動は、市民グループとして積極的に街宣も行い、異なるグループ同士が連帯もできていて、児童館問題や道路問題に関しても提案型で区政に関わっていく。だから、もちろん区議ともつながり連携している。私が擁立される以前の選挙運動の集会の様子などを動画で観ても、スピーカーとして人前で話している誰が立候補してもいいのではないか、と思うぐらい私には非常に成熟した市民運動に見えました。だから、やりたくないという人に無理やりやらせることではないけれど、「私は政策のサポートなどで応援するので、杉並区の地域で市民運動をしてきた人を擁立すべき」とは伝えました。だって、地域の選挙ですからね。

**――実際に、ヨーロッパから帰国したばかりの岸本さんを擁立することへの異論もあったと聞きます。**

**岸本** それはとうぜんですよ。「住民思いの杉並区長をつくる会」の集会で最後まで私の擁立に強烈に反対する意見がありました。その集会にはいろんなグループの人たちが70、80人ほど集まります。そこで承認されなければ候補者にはなれないんです。当時現職の田中区長を変えて、区政を良くしたいという気持ちはみんないっしょですから熱い議論にもなります。絶対勝たなければならないんだという意気込みですから。そこで、私について「誰も知らない人なんか擁立しても区長選に勝てるわけがない」と言う人もいました。その場に私もいるんですよ(笑)。

でも、私も最後の最後まで「もし地域の候補者がいるのであれば、私は降りますよ」と言っていたぐらいなんです。もちろん現実的には、ポスターやいろんな事前準備がありますから、その前に候補者は決まっているわけですけど、選挙制度的には、「立候補者届け」を出して正式に承認される告示の日から投票日までは1週間だから、告示日まで候補者は変えられます。

**――そうした紆余曲折がありながらも立候補して当選されたわけですが、どのような心境で最終的な覚悟を決められましたか?**

**岸本** 自分のライフワークは社会正義、あるいは気候正義と多様性、下からの民主主義だと考えています。そういう課題に取り組んでいるかぎりは、自分の能力、経験、ネットワークはどこでも活かせるわけです。これまではNGOで研究をしながら運動家としてやってきましたが、いまは区長として同様の問題に取り組み始めた。それは、表現方法が違うだけとも言えますよね。それと何より、杉並区長選のお話をいただいて、いろんな方に出会って、この杉並という地域であれば、私の能力と経験を活かしてもういちどチャレンジがきるんじゃないかという確信を得たのも大きかったです。

**――最初は東京には絶対に住みたくないと思っていたのにもかかわらずに、ですよね。**

**岸本** そう! ところが、西荻窪に住んでみたら、すぐにこの町に惚れちゃいました。町に馴染むのも早かったです。それは選挙のおかげもありました。仮に私が「杉並でちょっと暮らしてみよう」程度の軽い気持ちで移り住んできたとしたら、友だちもそんな簡単にできなかったでしょうし、すぐに馴染めなかったと思います。私を擁立してくれた「住民思いの杉並区長をつくる会」の方が選挙期間だけでもと大家さんと交渉して借りてくれたアパートの一室に住んで選挙活動を展開したんです。

大家さんがまた素敵な方で、シングル・マザーになるべく優先的に部屋を貸すし、私みたいなどこの馬の骨かもわからない女が「区長選に出る!」って突然やって来ても覚書程度で部屋を貸してくれた。いまとなれば区長になりましたから、部屋を貸してくれる大家さんもいるでしょう。でも当時、保証もなしに部屋を貸してくれる人なんてなかなかいないですからね。

それがだいたい2022年3月末から4月あたまでです。それから6月12日の区長選の告示日までの約2ヶ月のあいだにいろんな場所に連れて行ってもらいました。そういうなかで、福祉や保育といったまちづくりや地域の課題に取り組んでいる人たちと濃密なやり取りをして関係を築くことができた。高齢者のデイケアサービスや特別養護老人ホーム、こども食堂にも行きましたし、西荻窪の商店街にある「かきぞえ食堂」という素敵なイタリアンのお店が、食べるものに困っている人たちのために月にいちど公園で食料を配布しているので、そのお手伝いをさせてもらったりもしました。善福寺にある東京女子大の友だちもそういう活動を自然にサポートしている。そういうのが当たり前に存在している地域に、移住してきたばかりの私はズカズカと入らせてもらい、まさにコミュニティの一部になったわけです。

だから、大家さんの信頼と好意にも感謝しているし、このアパートを移りたくないと思ったんです。ただ、ワンルームはさすがに狭いなと思っていたところ、大家さんが「ちょっと広い上の階の部屋が空いてるよ」と言ってくれて、ここに引っ越してきました。古いアパートだからキッチンを換えたいとかはありますけど、東京らしからぬ東京がすごく気に入っていますね。

## 気候正義が原点

――さきほど気候正義の話が出ましたが、ご著書『私がつかんだコモンと民主主義』（晶文社）を拝読しました。岸本さんのライフワークの原点として、90年代後半に、気候変動への関心と取り組みを通じてグローバル・ジャスティス・ムーヴメントに出会った経験は重要だと思うのですが、そのあたりのお話を聞かせていただけますか。

**岸本**　まさにおっしゃるとおりです。そこがいまにもつづく私のライフワークの始まりですね。当時は気候正義や気候変動という言葉はあまり使われず、どちらかと言うと温暖化と言われていました。１９９２年のリオデジャネイロで「環境と開発に関する国際連合会議（地球サミット）」が開かれ、地球環境問題が国際社会で政治課題として位置づけられます。高校生の私はそこで環境問題に関心を持ちました。そして、１９９７年の冬に京都で「気候変動枠組条約第3条締約国会議／温暖化防止京都会議」（ＣＯＰ３）が開かれる。まさにその年、大学に入学して以来所属している国際環境ＮＧＯ「Ａ ＳＥＥＤ ＪＡＰＡＮ」で、ＣＯＰ３に向けて温暖化防止キャンペーンに取り組みます。

――興味深かったのは、気候変動や環境問題を出発点に、地球上で起きているさまざまな問題を同じ地平で捉えていく過程です。90年代後半に、少なくとも日本において、環境問題と、例えば自治などを地続きに捉えて活動している人たちは少数派だったと思います。

**岸本** 私も当初は、気候変動を他の諸問題と切り離して個別的な問題と考えていたんですよ。そんな私が、京都のCOP3の際に来日したヨーロッパや韓国の環境活動家や学生のアクティヴィストたちと交流し、議論し、直接行動までともに行った経験に触発されたのは大きかったです。そして、翌1998年にジュネーヴで開かれたWTO（世界貿易機関）の第2回閣僚会議にたいする抗議行動に参加したのが決定的でした。

まず、ジュネーヴの抗議行動を主導したのはヨーロッパの環境活動家と、インドからやって来た小規模農家や土地を持たない農民運動や種子を守る運動を担うひとびとでした。拠点になったのは廃校になった小学校。そこで炊き出しをしているのは地元のコーポラティヴ、協同組合で、食事は乳製品も使用しないヴィーガン。当時はヴィーガンなんて知らないですけど、すごく美味しかったですね。昼間は全体集会がある一方で、ホストの人たちがイニシアティヴを取っていろんなテーマでワー

クショップをやるんですけど、そちらは行っても行かなくてもいいわけです。

そして、夕飯を食べたあとは体育館みたいな場所で、誰かが布とペンキを持ってきて翌日の抗議行動やデモで使う横断幕を作り始める。そうした創造的な場がすごくナチュラルに発生していくのが新鮮でした。経験がなくてわからないことがあっても、作業を通して仲良くなって仲間にもなれますしね。そのときの対抗運動、ピープルズ・グローバル・アクションはいい意味でものすごくアナーキーな集会だったんですよ。

**――その場では具体的にどのような議論がありましたか？**

**岸本** インドの農民とヨーロッパの環境活動家の人たちがまず議論していたのは、多国籍企業の種の支配についてです。当時、インドでは世界銀行が推し進めた緑の革命によって大量生産を目指す集約型の近代的農業に移行させられていく過程で、貧しい農業者の人たちが種を買えずに自殺してしまうという深刻な問題も起きていました。

つまり、気象学的にみれば、気候変動という現象として表れている事態の背景には、大量生産、大量消費をはじめとする人間社会の文明そのものやグローバリゼーションがあり、さらに、先住民、農民の土地、種子、労働運動、途上国の債務、女性の権利獲得運動はどこかでつながっていて、世界の文化的、経済的、政治的な抑圧関係の原因には、現在の国際政治経済体制があるのではないか、という気付きがあったわけです。そして、そうした国際政治体制のルール作りをして、経済のグローバル化を推進しているのが、ＷＴＯであると。

当時はまだ新自由主義という言葉は一般的には使われていませんでしたが、そういう認識が共有され始めていた時代ですね。だから、インドの農民や、私のような日本人の環境活動家もジュネーヴの抗議行動に集まったわけです。

**――ご著書では、スウェーデンの環境活動家、グレタ・トゥーンベリほどではないと謙遜されていますが、まさに彼女たちにつながっていく活動をされてきたということですよね。じつは私も、その10年後の2008年に北海道の洞爺湖で行われたG8サミット（主要国首脳会議）にたいする抗議行動にすこしだけ参加したことがあります。そこで、世界各国から日本に集まったアクティヴィストに共有されていたのが、まさに新自由主義政策を伴う経済のグローバル化を推進する国際政治経済体制への抗議でした。**

**岸本** ただ、90年代後半の段階では、グローバル化には、人類が未来に抱く明るく、ポジティヴなイメージがまだまだありました。だから、世界の貿易の自由化はとうぜんの道筋で、そのことに反対するのは国家保守主義、国家的保護主義ではないかという批判もあったのです。たしかに、人や文化が国境を越えて移動して交流し、生活が豊かになる国際化は素晴らしいかもしれません。

しかし、はたして貿易投資の自由化のルールは誰のためなのか？　そういう問題提起が起きたわけです。世界には経済的な理由で自由な移動ができないひとびとがいる一方で、資本、金融、モノの移動だけが加速していく。そして、そうした経済のグローバル化によって、貧困にあえぐ国や地域の底上げをするための国際税制や環境規制の整備、労働者の権利が置き去りにされていった。資本と労働の再編成を確実に行う国際ルールは、資本家や持てるものの富を極端なまでに拡大させ続け、残りの庶民はそのために競争させられ自己責任を押し付けられた。それが世界貿易投資体制でのグローバリゼーションの実態でした。

私が経験した当時のグローバル・ジャスティスの運動はそうした国際政治経済体制に抗議する先駆けでした。それ以降、私は経済のグローバル化への対抗運動をふくめ活動をしてきました。だけど、当時は問題があまりに大き過ぎて人に上手く伝えられない面がありました。特に日本ではそうでしたね。

**――当時の日本ではそうしたリアリティは一般的に浸透していなかった印象があります。**

**岸本**　コミュニケーションの仕方ですよね。つまり、経済のグローバル化が問題だと訴えただけでは人に伝わらないわけです。若いころはそういう世界の問題や不正に気づき、自分なりの表現で訴えていくことで満足感も得られます。だけど、より実生活の経験に基づいて具体的に伝えたり、活動したりしなければ、広く人に伝えていくことはできませんし、ライフワークにはなり得ません。

それもあって、農家でお酒造りや農業の手伝いもしたりしました。お世話になったのは、まさに国際貿易投資体制下の規制撤廃で日本に入ってきた遺伝子組み換え大豆に反対して有機農業を営む農家でした。ＷＴＯの貿易投資の政策が日本の地方の農家にどういう影響を与え、またそれに対抗する農家の方の取り組みを知ることで、いろんな問題が自分のなかでつながっていきました。

だけど、あるとき、仕事に熱心に向き合えなくなって、やる気が出なくなってしまうんです。当時はわからなかったけれど、いま考えれば一生懸命に取り組み過ぎたせいで起きたバーンアウト（燃え尽き症候群）でした。そこで仕事を辞めて農村に移住して、農家や酒蔵で修業しようとも真剣に考えましたが、進歩的な農家さんにさえ農村で修業するには、「嫁」

として嫁ぐしかないと言われてしまい、私は行き詰まってしまうんです。
ちょうどそのころ、宿命や運命のいたずらなのかもしれませんが、ジュネーヴの対抗運動で出会いその後20年のパートナーとなる人とのあいだに子どもができます。これは農民じゃなくて、外国人として生きるチャレンジを与えられたとわりとすんなり受け入れて、お金もぜんぜんなかったけれど、アムステルダムに移住することにしました。私は、そのあたりはけっこう楽観的なんですよ。

## アナーキー・イン・ザ・高円寺

**――それからアムステルダムとブリュッセルで約20年生活して帰国されたわけですが、区長としても、生活者としても、日本の文化や習慣で慣れないこともやはり多いですか?**

**岸本**　それはもういろいろありますよ。区長として公の場で挨拶しなければならない機会もたくさんありますし、慣れないディプロマシー(外交)や儀礼的なことも多いです。ただ、海外生活が長かったとはいえ、日本社会で教育を受けて育ちましたし、日本の文化的ルーツもあります。日本的な儀礼で忘れてしまっていることはありますが、そこまで適応力のない人間ではありませんから、思い出せばちゃんとできます。ただし、日本で常識とされている儀礼に違和感を抱くこともあります。
区長になって最初の大きな式典でのことですが、テクテクテクと歩いて演台まで行って挨拶をし終えて自分の席に戻ってきたんです。でも、それではダメだったんですね。私のあとに登壇した区議会議長は、来賓、そして区旗と国旗にお辞儀をして、演台の前に立ってからも正面に頭を下げました。さらに、その動作を席に戻る際もくり返したのを見て、私は「あっ！　こういう風にやるんだったんだ」と日本的な儀礼を思い出しました。

「国旗に頭を下げることは私にとってはピンと来ないもので」と自分なりのささやかな抵抗を示しながら、それ以降はそうした儀礼的な振る舞いもちゃんとやっています。そこに変にこだわるよりもやるべきことがたくさんありますから。そういう経験も学びですね。

**――時間を少し巻き戻しますと、区長に就任される前、2022年5月15日の高円寺再開発反対パレードに参加され、その夜はアフター企画の「再開発絶対阻止！杉並区区長選予定候補者によるトーク・ライヴ！」にも出演されました。素人の乱の松本哉さん、西荻窪で三人灯というバーを営む水越強さん、80年代からさまざまな社会運動に関わってきた音響技術者でパンク・ミュージシャンの穴水美樹さん、そして岸本さんの4人が杉並区の再開発をテーマに高円寺の音楽スタジオ「ドム」の屋上で語り合いました。あのようなアナーキーな雰囲気はどうでしたか？**

**岸本**　再開発反対のデモは楽しかったですし、デモ出発前の集会もすごく良かったですね。杉並区の住民だけじゃなく、同じように再開発の問題を抱える板橋や練馬の人たちもスピーカーとしてしゃべっていましたし、全体の雰囲気にユーモアがあるし、音楽もあるし、服装も雑多で外国人もいてダイバーシティも感じられました。ああしたアクションは私がこれまで経験してきた直接行動に近かったので、ナチュラルに参加しましたよ。それよりも私が気になっていたのは、松本さんをはじめ高円寺の人たちが「岸本さとこは杉並区長の候補者としてダメだ！」というフレームでトーク・ライヴを企画したことでした。

**――そうした反発、反論が出たのは、下北沢の再開発にご自身のツイッターで〝理解を示した〟発信が原因だったのでしょうか。**

**岸本**　そうです。もちろん再開発に根深い問題があるのは理解していますし、個人的にも反対の立場です。ただ、私は立候補して本気で当選するつもりでしたし、応援してくれるさまざまな立場や意見の人たちの期待を背負いますから、これまで杉並区の行政が議会で民主的に進めて決定したことを簡単に候補予定者の立場で、例えば「凍結します」と断言することはできません。そうした慎重な態度に反論が出たのだと思います。

**――三人灯で店主の水越さんとお話ししたとき、水越さんも本気で立候補するつもりで供託金も集まっていたそうです。手続き上の諸事情で断念せざるを得なかったそうですが。**

**岸本**　私は、水越さんが区長選に立候補すれば良かったと本気で思っています。彼のような異色な人物がいることこそが市民運動の強さだと思いますし、彼は地域の人ですから、「水越さんが出るならば、選挙に行かないと！」という有権者は必ずいたはずです。それが地域の政治、自治にとって最も大事なことです。松本さんはそうした地域の自治の重要性を理解しているから、ああいうフレームで本気で企画したわけですよね。

松本さんが書いた「週刊　素人の乱　号外」がまた痛快でした。私と水越さんと穴水さんの3人が激戦を繰り広げていて、現実には強力でメジャーな田中前区長が泡沫候補であるというフレームで記事を作り、さらにトーク・イベントも実行する。あのユーモアはすごく楽しいし、好きですね。松本さんのセンスはとても好きです。実は、私と松本さんは同い年で、

『マガジン9』の彼の連載「のびのび大作戦」を全部読んでいるぐらいのファンだったんです。私も『マガジン9』で「ヨーロッパ・希望のポリティックス・レポート」という連載をやっているのもありました。彼は私のことを「ヨーロッパで研究をやっているインテリ」くらいの認識だったかもしれないですけど(笑)、私は自分のことをラディカルな運動家と自認してきましたし、素人の乱が2011年の311直後に主導した反原発デモもフォローしていました。それで杉並に越して来たときに、最初に素人の乱に仁義を切らなきゃと思って松本さんのリサイクルショップに電話して、「ちょっと遊びに行きます」と自転車に乗って行きましたね。

**――岸本さんから連絡を取られたんですね!**

**岸本**　それは礼儀としてやらないといけないと思いました。いまこの家にある洗濯機や扇風機、テレビも素人の乱で買いましたよ(笑)。後日、トラックでアパートまで配送してくれた松本さんが、「いちど高円寺に飲みにおいでよ」と誘ってくれまして、LINEを交換していっしょに飲みに行ったわけです。先ほどのトーク・イベントを企画した奥野くん(奥野テツオ。イベント・スペース「高円寺パンディット」の店主)と松本さん、私と私の友達数人で高円寺のガード下で飲んで自治を語り合いました。選挙の映像を撮りたいというクリエイターの方も来てくれまして、その映像は、「さとこチャンネル」というYouTubeアカウントにアップされました。

そのとき松本さんが語った「地域がちゃんと自治されれば、国は自然とよくなる」という考え方は私も同じです。彼は自分の考え方を思想みたいには言わないと思うけれど、私からすると、彼の哲学はすごくしなやかで、わりとフェミニンな感じがするんですよね。

## 再開発を止めるのは住民の声

――再開発の問題に関して、岸本さんと例えば松本哉さんとで考え方の違いがあるとすれば、どのあたりですか？

**岸本** いや、考え方にあまり違いはないと思います。大前提として再開発にはものすごい力〈資本や権力〉が働いています。新しい道路を作り、高い建物を建て、高級店、ホテル、全国的なチェーン店を呼び込んで消費を促進し、街を構造的に変えていきます。そういう開発のモデルに沿って、東京だけでなく、日本各地の駅前がどこも同じような街並みにされています。そこに住む人たちは、そうやって再開発しないと駅前や街が廃れて生き残っていけないのではないかと恐れていますよね。それぐらいに再開発の呪縛がある。

ところが、西荻窪や高円寺の住民の多くは「いや、生き残る道はそうじゃない」というのを感覚でわかって共有しています。それは西荻窪や高円寺の庶民感覚であって、保守や革新といった政治的立場は関係ありません。

秋に「まちづくり基本方針」の骨子案をホームページで公開して意見を募集しましたが、いまの西荻窪や高円寺ののんびり感や、ひとりでふらっとお店に行って友達ができるような街が好きだという意見も見かけます。ある人たちからはノスタルジーと言われてしまうかもしれないけれど、それはノスタルジーとかではなく、大きな道路がないからこそそうした生活や文化を維持できるという確信に満ちた自信だと思います。そういう街を愛しているんです。また、高齢化社会が進むなか高齢者が安心して歩ける交通ネットワークの方が大きな道路より重要であることも共有されています。そういう意見が本当に多いです。巨大な力の前で、「そんなのダメだ!」と言っているだけではなぎ倒されてしまいます。今回の杉並区長選で、もし区長が変わらなければ、ブルドーザーのような勢いでそういう文化が簡単に潰されてしまった可能性もありました。

**――杉並の再開発の実態もかなり複雑なのでしょうか?**

**岸本** そもそも戦後すぐの1947年に都市計画道路の計画が決定され、その後何度か変更があったその都市計画そのものが非常に不透明に感じます。例えば、西荻窪で反対の声が上がっている補助第132号線の道路拡張もそうです。元々は現計画ではないルートで青梅街道から井の頭通りを一本で結ぶ計画でしたが、1966年の計画見直しにより、西荻窪駅に接するかたちになりました。

杉並区は防災の観点からの拡幅工事と説明してきましたが、南口の商店街にも影響が及ぶために反対の声が上がっていました。

**――そこまでして道路の拡幅工事にこだわってきた理由は何だと考えますか?**

**岸本** 都市計画道路に反対する議員さんがいたとして、その人が説明を求めても合理的な納得のいく回答は得られない。情報公開の請求をしても、そもそも明文化された情報がないとか、公開されたとしても黒塗りの文書ということも起きてくる。そうなると、議員さんも住民も行政に不信感を抱きますし、そんな風に不透明な状態で自分の住むまちづくりが行われるのは誰しも望みません。だから、まずはそこを明らかにしていかないといけないわけです。

**――まずは透明性を高めていくということですね。**

**岸本** そのために地域の住民の方々との対話集会「さとことブレスト」(ブレスト=ブレイ

ンストーミングの略。あるテーマについて数人で自由なアイデアを出し合う会議の方法／杉並区公式ＨＰより）を昨年中だけで８回やりました。もちろん都市計画道路の問題も取り上げられていますし、当事者の住民、区民のみなさんの生の意見に直接触れています。

あるとき、その「さとことブレスト」で地権者の方々が集まる回がありました。都市計画道路の沿道に住んでいる地主さん、アパートやビルの所有者の方々ですから、まさに当事者です。杉並区の行政職員から道路を安全にするためだという説明を受け、それならば協力しようと土地やビルを売るつもりの方々がすでにたくさんいますから、そこでかなり生々しい話が出てきました。そもそも行政側と地権者のあいだの交渉というのは、最初に行政が当該地を測量して、土地や建物についての価格の交渉を始めるわけですが、個人の資産に関わるデリケートな交渉ですから、他人に知られたくないこともあるでしょう。ですから、交渉は個別に行われます。道路作りというのは元来そういう密室的な性質を持ちます。

ところが、「さとことブレスト」では、地権者の方たちのあいだで「うちは行政職員からこう説明されたけど、お宅はどうでしたか？」という情報交換が始まりました。「さとことブレスト」の場にいる行政職員も巻き込んで「うちの土地の買収はこんな交渉になっているけれど、実際に妥当なの？」というような対話になりました。みなさん当事者ですから真剣そのものです。個人名などは出しませんが、「さとことブレスト」で話し合われた内容の概要については区ホームページでオープンにしています。

**――じっさい道路計画の現状はどのようなものでしょうか？**

**岸本** これまでは、粛々と行政側と地権者のあいだで交渉が進んでいました。ですから、元々の都市計画に沿って、道路の拡幅が行われ、新しい道路ができるという前提で人生設計をされている方々も多くいますから、すでに行政側と地権者のあいだで交渉が成立している土地を杉並区は買わなければいけません。道路計画は曲がりなりにも議会で民主的に話し合われて、予算として通っていますから、そうした計画を私の一存で覆すことはまったく民主的ではありません。しかも、私は区長に当選したとはいえ僅差も僅差ですし、異なる立場や意見もとうぜん尊重しなければなりません。

ただし、私が区長になってから、区から地権者に新しい交渉を持ちかけない、というのは決めました。議会の答弁でも、記者会見でも話して公にしています。凍結ではないけれども、いちど立ち止まるという判断です。これからは、より住民や区民の声を反映した民主的プロセスをいかに作れるかが大事になってきます。

**――いままさに新たな民主的プロセスを作る段階に入ったということですね。そして、そこでは何より住民、区民の声が重要であると。**

**岸本**　まさにそういうことです。近年の杉並区政は、政党を中心としたパワー・ポリティクスでほぼ物事が決められてきた側面が大きいです。無所属の議員の方々もたくさんいますが、結局はパワー・ポリティクスで政治が行われてしまう。それが間接民主主義における議会の限界でもあります。私は、地方自治は与党対野党のポリティクスに留まってはならないと考えています。何より杉並区の住民の生の声が必要ですし、いま私にできることは議会を十分に尊重しながら、かつ、議会の外の民意をできるかぎり集めて可視化していくことなんです。それが、地域の自治、下からの民主主義の第一歩だと考えています。

写真：小原泰広

an interview with Yuki Honda

交渉とか発言し始めたら、面倒くさいやつ、うっとうしいやつ扱いされて、けっきょく自分の未来を潰すことになるからみたいな、そういう忖度をしてしまう、服従的な態度というものが広がってしまっているんですね。

# 私たちにできることは、怒り続けることです。あらゆる手段を使って、怒り続けることですね。

## ――本田由紀インタヴュー

（取材：水越真紀）

私たちにできることは、怒り続けることです。あらゆる手段を使って、怒り続けることですね。そしてその怒りを表明し、冗談じゃない、バカにすんじゃない、こうしろ、ということを言っていくことです。

社会保険料はいまどんどん上げられていますし、働く人の人数をとにかく増やしたくないんです、日本の企業は。ですから、そこを増やさないで、ワークシェアもさせないで、いま雇っている人員をとことん使い切るということをずっとやってきている。

方針を転換するしかないと思います。人数を確保するためには、海外から来てくださった方が十分満足して働けるようにしなくてはなりません。そうなるとここでもジョブ型が必要なんですよ。海外の基本発想はジョブ型ですから。

男性たちが長い労働時間に縛り付けられていることによって、家事であったり育児であったりする、ひとびとの生活を支えるのに不可欠なことに男性が従事してくれないという事情があります。だからそれを全てやらざるを得ないのは女性ということになります。

profile　ほんだ・ゆき
東京大学大学院教育学研究科博士課程単位取得退学。博士（教育学）。日本労働研究機構研究員、東京大学社会科学研究所助教授等を経て、2008年より現職。専門は教育社会学。主な著書に、『「日本」ってどんな国？』（ちくまプリマー新書）、『教育は何を評価してきたのか』（岩波新書）、『若者と仕事』（東京大学出版会）、『多元化する「能力」と日本社会』（NTT出版、第6回大佛次郎論壇賞奨励賞）など。

いまでは当たり前に使われる「やりがい搾取」という言い方は、10数年前に本田教授が使い始めた言葉だ。日本社会の労働環境はそのころとどれほど変わったのか？おりしもコロナ禍で、エッセンシャルワークの現場で、いかに「やりがい搾取」そのものの環境が続いていることが明らかになったばかりだ。

そんな沈滞したくらい気分の一方で、しだいに、怒ることはネガティブなことだという空気は広がり続けている。気がつけば、アンガーマネジメントが必要だとされ、多様性を受け入れ、たがいの存在や考えを尊重し、誰も傷つけない社会を育てることの重要さが強調されるようになっている。烈火の如く怒る人はまるでこっけいに見える。本田由紀教授は「烈火」のようなひとだ。怒るだけではない。猛スピードで怒っている人である。猛烈な怒りとともに変化の方向を示してくれる。この怒りにふれ、私は何度もはげまされた。怒ってもいいのだ。怒ってもいいのだ——私たちはこのことを忘れさせられている。諦めさせられている。それは自分の力を過小評価させられているということではないか。

## 蔓延する長時間労働

——人口減少と物価高で生活が急激に圧迫されていると感じます。いまに始まったことではありませんが、30代40代の人たちが子供を育てて生きていくことを考えたとき、かなり暗い

**未来しか見えなくなっているように思いますが、どのように見ていますか？**

**本田**　その通りですし、どこから話を始めようかと思いますが、まあ確かに見渡すと暗澹とすることが多いですね。私は2021年、『「日本」ってどんな国――国際比較データで社会が見えてくる』（ちくまプリマー新書）という本を書きました。そして最近読んでいるのがメアリー・ブリントン教授の『縛られる日本人――人口減少をもたらす「規範」を打ち破れるか』（中公新書）という本です。これがとても面白いのですが、主に少子化ということに焦点を当てて、たくさんのインタヴューに基づいて書かれています。認識としては私と重なるところが多く、非常に心強く読んでいるんです。この本でもかなり丹念に描かれていますが、原因は一つに収斂するのではなく、複数あると思われますが、大きな問題の一つは日本の労働時間がまだ長いということです。国際的にみても非常に長いです。このことが色々なことに派生的に影響しています。

特に男性が、長い労働時間に耐えて、それを受け入れて働いている。男性たちが長い労働時間に縛り付けられていることによって、これはほかでも多く指摘されていることですが、仕事以外の活動――もっとも大きいのは家庭活動ですが、いわゆるアンペイドワーク――無償労働――と言ったりしますが、お給料が払われないけれども重要な、家事であったり育児であったりする、ひとびとの生活を支えるのに不可欠なことに男性が従事してくれないという事情があります。これは国際比較ではバカみたいにすくない。国際的には最低の部類ですね。だからそれを全てやらざるを得ないのは女性ということになります。女性は「なんだかな……」という思いを抱えながらも、それでもしょうがないという気持ちで、家庭の役割も、そして最近では仕事もやる、ということになっています。まあでも、多くの場合、女性は非正規の仕事だったり、正規の場合でもある程度セーブして働かなくてはならなくなっていて、そこで女性が持っている、家族・家庭以外でのもろもろのパブリックな場での活動は抑制され、女性の可能性が押しつぶされているということもあります。そこで、ブリントン教授の関心である「少子化」ということに至るわけですね。女性がパートナーの助けを得られない中で、子育てというものを自分だけでやり通すのがすごくしんどいという思いがあって、望んでいる子供の数も抑制せざるを得なくなっているわけですね。

長い労働時間というものに、日本の特に男性は慣れてしまっていて、嫌だと思いながらもそういうものだと思っている気持ちがない混ぜになっているのでしょう。

**――いまはヨーロッパなどは週休3日という国も出てくるなど、労働時間はますます減っているようで、日本も昔よりは短くなっているのでしょうが、追いつかない状態というような状況でしょうか。**

**本田** ええ、働き方改革というものもあって、会社にいる時間は減ってきてはいますが、それでも持ち帰り残業もありますし、すごく効率よくなっているわけでもないわけです。企業側としては残業代抑制ということになっていますから、時間になれば一方的に消灯したり、パソコンの電気を切ったりしているわけですが、でもやらなければならない仕事量は大して変わっていない。ということは、つまり水面下に潜るということになっている。ではなぜこんなにダラダラ働くのかということですが、これもいくつかの説明が必要で可能です。一つには日本ではまだまだＩＣＴであるとかＡＩであるとかですね、デジタル化というものが破滅的に遅れていて、そういうことを活用した効率的な働き方ができていない面があります。

まだ企業を牛耳っているのは爺さまたちですから、そういうところがまったくできていない。

もう一つ、テクノロジカルな要因に加えて、日本の働き方が、最近よく使われる言葉で言うといわゆるメンバーシップ型だということがいえます。粘土のようにみっちりと、それぞれの仕事の区分がはっきりしていなくて、チームでやったり、お互いにヘルプに行ったり、ねっとりと絡み合うような、個々人の仕事の範囲が明確でなくて、だからこそ専門性を追求するとか、効率化ということがしにくくて、根回しや調整や合意にすごく時間がかかるということもあります。つまり、ＩＴなどの技術的な意味でのテクノロジーの問題と、もう一つは働き方の日本的特性があります。

三つ目が、それと絡み合っていますが、不合理な、ある種ずっと受け継がれてきた企業社会文化みたいなものがある。慣例、慣習というものですね。職場に長くいることが企業への献身であったり、熱意であったりとみなされてしまって、それが長く働いているほど、むしろこれは女性に特徴的なんですが、長時間働いていることが昇進の可能性を上げるということがあるんです。本当にそういうバカみたいなことをやってるんですよ。海外ではむしろ長時間働くのは良くないこと、無能さの表れだと見なされたりするのですが、日本ではできるだけ、目に見える行為としての「時間」というものを企業に投入することが高く評価される文化がある。

## ■メンバーシップ型とジョブ型

――コロナの在宅勤務で明らかになったデジタルテクノロジーの遅れ以外の二つはずいぶん

**前から聞いていたようにも思います。とくにメンバーシップ型労働に対するのはジョブ型労働ということだと思いますが、ジョブ型にすると昇給しないイメージがあったりして、日本の企業文化ではうまくいかなかったのかなと思っていたのですが、まだ取り入れられてもいなかったんですね。**

**本田**　たしかにメンバーシップ型とジョブ型というのは水と油みたいなところがありますので、かなり仕組みを意識的に転換していかないとジョブ型の労働って難しいと思うんです。進めていると言われる日本企業も一定程度出てきているんですが、本来のやり方を換骨奪胎していたりですね、似ても似つかないようなものになっていたりする。単なる成果主義をジョブ型という名前をつけて導入してしまっていたりというような。日本ではすごくありがちなのですが、海外でやっていることを輸入したときに、これまでのやり方に馴染むような形に自分たちの勝手な解釈で変えてしまい、「日本型〇〇」なんて言うんです。

さらに、企業側から言いますと、そもそもジョブ型というのは原理が違う。何が違うのかと言いますと、ジョブ型というのは実は働く側の発言権というものを尊重する働き方でもあるんです。つまり「自分はここまでしかやりません」ということを言い張れる働き方ができるのがジョブ型です。主体性と言いますか、拒否権というようなものを前提としているんです。それと比べ、これまでの日本の働かせ型というものは、企業側が労働者をフリーハンドで好きなように働かせられる。単身赴任もそうですが、自分のキャリアや働き方、赴任地、配属に関する自己決定権がすごく低い。雇う側のフリーハンドは最大限行使されてきたというのがメンバーシップ型なんです。それをジョブ型に変えるとき、働かせる側はそのフリーハンドをある程度、手放さなければならないわけです。それでもそれはやる必要があると、私は考えていますけれど、働かせる側からすれば面倒なやり方でもある。

賃金が下がるということについては、一時期、連合なども不安を述べていましたが、いろんな調査が行われていまして、賃金の下がり方はそれほどではないことが明らかになっています。むしろジョブ型であるかどうかというよりも、日本でこれまでジョブ型が導入されている職務の性質によって賃金が低く見えるだけであって、ジョブ型であるという理由によって下がるわけではない。そして働いている人自身に調査した結果を見ると、従来型のメンバーシップ型の働き方をしている人よりもジョブ型の人の方が満足度は高いんです。

私は以前からジョブ型を推奨していているんですが、調査も積み上がってきています。あとは働かせる側がきちんと本気で導入するかどうかですが、まだ本気じゃないんですね。

**――自分のキャリアを主張するとなると、働く側の意識も変わらないとならないですね。**

**本田** 小学校から大学まで、すべての段階でキャリア教育は取り入れられるようになってはいますが、実際に企業に入社してみると実情が全然違う。自分の働き方や自分の長期的な人生を自分で選びとっていけるかどうかということは、拙著でもデータで見せているんですが、日本で肯定率が非常に低いんです。自分のキャリアの選択なんて本来、当たり前のことであるはずなんですが、とにかく低い。それこそ企業にお任せのメンバーシップ型となっているんです。賃金であれ、どこの部署でどんな仕事をするかということであれ、交渉しない。そんなことを交渉とか発言し始めたら、面倒くさいやつ、うっとうしいやつ扱いされて、けっきょく自分の未来を潰すことになるからみたいな、そういう忖度をしてしまう、服従的な態度というものが広がってしまっているんですね。

**――では、専門性に専念すると考えると、政府が推進してきた裁量型とか高プロというようなものは、現状ではダメな制度であっても、少し改変すれば働く個人にとっては良い制度になりうるでしょうか？**

**本田** 裁量労働や高プロは、例の「働き方改革」の中で、政府がデータも捏造しながら熱心に導入しようとしていましたけれども、それらは特定の仕事に関して、むしろ「働かせ放題」のやり方なんです。裁量があるだろうという言い方のもとに残業代がつかないとか、むしろ長時間労働を推進してしまうような制度であって、ジョブ型とは似て非なるもの。逆の意図というものが込められたものだと解釈すべきだと思います。

裁量労働制などとしなくても、一定期間にするべき仕事の内容を明確にする「ジョブディスクリプション（職務記述書）」というものを定めて、そこに人をつけていくのがジョブ型の一丁目一番地の考え方です。そこには裁量性とか高プロなんていうへんてこなものをつける必要はないんです。ジョブディスクリプションで適正な内容と量を決める。仕事量がやたらと多すぎたりしたら、いくらジョブディスクリプションがあったからってだめですが、受け入れることができる範囲で中身と分量が定められ、それを続けることができれば正社員でい続けることができるということで、突然どこかから仕事（の命令）が降ってきたり、「あれもこれもやれ」など言われることを防ぐ働き方ですから。正しく実施されればですが、機能するものと思っています。でも、現実には、本当に換骨奪胎されているところが多い。働かせる側は、人が減っている中でも賃金を上げたくない。彼らとしてはいまいる人間をこき使い放題にしたい気満々なんですよ。

その結果、長時間労働で、かつ賃金も上がらない状態というのが続いていて、私はそれが大・大・大問題だと思っているのですが、雇う側の意図としてはそうなんです。これに関しては、働く側と働かせる側は利害が相反します。それはもともと違うんです。つまり奴隷労働をさせたい側と人間としての生活を守って働きたい側ですから、これは人類が働き始めてからずうっと利害というものは相反しているんです。でも日本という国では、相反する利害というものに目を瞑って、むしろ働かせる側に身を委ねたり、働いている側のくせに働かせる側の発想になってしまって、こんなにワーワー文句を言ったら経営者が困るだろう、みたいなですね、経営者でもないのに経営者目線で考えてしまうような発想が広がってしまっているということが、現状を是正できないことにつながっているんじゃないですか。

古典的なことを言いますが、働く側の要求を実現していくためには、アカとか共産党とか「反日パヨク」とかとは関係なく、労働組合、労働運動、労使交渉が不可欠なんです。これらは、利益が相反する中で力弱い存在である働く側が力を集めて、自分たちの権利や生活を守るために働かせる側の横暴に対抗するということなのですが、そこが日本は地に落ちてますよね。

## ■労働組合の現在

——いま最大の労組は連合ということになりますが、もう自民党と同じことを言っていて、どういうつもりなのかと思ってしまいます。

**本田**　ご存じのように、連合は主に企業別組合の集合体です。日本の労働組合もかつてはすごくアグレッシブだった。でもオイルショック後の70年代から80年代にかけて、そしてバブル経済が弾けた後の90年代、非常に労使協調的なスタンスを取るようになってきたんですね。非正規や女性というような弱い人の発言に、長い間、耳を傾けなくて、大企業の男性中心の労使協調的な労働組合の代表みたいなことをずっとやってきたのが連合です。たしかにそういう情けないところもあるんですが、規模が大きいので、ちゃんとやってほしいと思いますよ。じっさい頑張ってくれているところもあると言えばあるんです。いろいろな提言をしたり、調査をしたり、連合が果たしてくれてることはたしかにあるんですが、直近で私が腹が立っているのは、会長ですね。「いい加減にしろよ、何考えているんだ」と言いたくなるような振る舞いをしてしまっていることが情けなくて情けなくて仕方ないです。自民党に媚びてどうするの？　と。無闇に対立しろというのではなく、正しい敵対性というものをちゃんと考えていただければ、働かせる側とずるずるべったりの与党とあんな馴れ合いはしないはずです。日本の労働組合は連合と全労連という共産党系のものに分裂してしまって、全労連系の方がアグレッシブな態度を維持していますが、規模的には連合に負けています。信条的には、私は全労連的な動きが必要だろうと思っているところではあるのですが、組織率という点では総じてだらだらと下がってきている状態です。

**——労組に入って団体交渉に参加することが自分の生活や人生を良くすることと繋がっていると思えなければ、労働組合に関心は持てない。それには教育が必要ではないですか？　18歳選挙権ということで主権者教育というものは最近ようやくやり始めたようですが、労働関係の教育というものはやっているんでしょうか？**

**本田**　非常に少ないですね。ワークルール、労働法の教育とか、労働者の権利の教育などはやりますが、内容的には貧弱です。ただいまも、ごくごく一部、就職者の多い高校などでは少しはやっています。

――そういうことは重要ですよね。

**本田**　すごく重要です。ちなみに東京大学では全学生を対象とするワークルール教育を始めているんです。東大の出身者の方で過労自殺をされた方も珍しくないんですね。電通の高橋まつりさんもそうですし、東芝系の会社で亡くなった方もいます。東大生は生真面目ですし、優秀だというプライドもありますから、言われたことを引き受けてしまうということもあって、長時間労働の弊害に巻き込まれているということを、東大の本部も認識し始めて、いま教材を作って、全学生対象に始めているんです。実は私が責任者なんですが（笑）。日本の中では珍しいと思います。

## なぜジョブ型労働が必要なのか

――ところで、一時期、ワークシェアリングということが盛んに言われていました。最初に知ったときには長時間労働の防止という意味ではいいことだし、実現すれば女性はもっと働きやすくなるのではないかと思ったのですが、よく考えると短時間労働で賃金も減らされ、けっきょくは副業（ダブルワーク、トリプルワーク）に追い込まれることになるのではないかと思うようになっているのですが。

**本田** たしかに一時期、言われました。オランダは素晴らしいとかですね。もう20年くらい前です。ワークシェアリングというのは、働く人の人数を増やして、一人当たりの負担を減らしていくというのが根本の発想ですよね。でも日本の企業では、働く人を増やすと社会保険料も増えるとかですね、人件費も増える。とくに社会保険料はいまどんどん上げられていますし、働く人の人数をとにかく増やしたくないんです、日本の企業は。ですから、そこを増やさないで、ワークシェアもさせないで、いま雇っている人員をとことん使い切るということをずっとやってきている。

さらに、シェアできるような労働者プールが潤沢にあればそれもできるかもしれないですが、日本はいま人口が減少していますね。いわゆる生産年齢人口といわれる世代も減ってきています。そういうなかで、シェアできるような基本条件も失われつつある。であるならば、海外の方がたくさん入ってきていただくこともやっていいと思いますが、これもいかんせん、すっごく古い日本企業の体質では、仮に優秀な海外の方が日本企業に就職しようとしても、日本企業のこれまでのやり方に馴染んでくれる気になるかというと……。高い日本語能力や従順性、協調性を要請して日本人と同じような基準で採用しようとするので、しかも日本の、世界にも稀に見る新卒一括採用という奇妙な仕組みの中で、去って行ってしまうような状態が続いているわけです。その一方で技能実習生制度という、亡くなる人が続出しているような、奴隷以下のやり方をしてきてしまったりしているんですね。海外から来てもらいたいのであれば、きちんと彼らの人権や労働条件を尊重して、日本で働くことは悪くないと思ってもらうことが必要です。今のようなやり方をしていたら、来てくれる人も減ってきていますよね。ベトナムからの技能実習生送り出し機関にも、日本のひどさはすっかりバレてしまっていて、もう行きたくないという人が増えています。

**——そっちもどん詰まりですね。するとこれから日本はどうなりますか？**

**本田**　だから方針を転換するしかないと思います。人数を確保するためには、海外から来てくださった方が十分満足して働けるようにしなくてはなりません。そうなるとここでもジョブ型が必要なんですよ。海外の基本発想はジョブ型ですから。ジョブ型や専門職で、すごく長時間ではない働き方で適正な収入が確保できるような労働条件を出していくことが必要です。

さらに労働条件だけでなく、家族を日本で形成したり、子供の教育に関しても、母国の言葉や文化を学ぶ権利を保障するなど、オープンでインクルーシヴな海外の方々に対する環境を導入してこそ、ある程度の海外の方が来てくださると思います。でも残念ながら今の日本は全然違います。ものすごく差別的で排外的で、日本語という言語を喋れないだけで無能扱いしますよね。そういう閉ざされた、しかも尊大なことをまだしている。

**——ジョブ型の人生というものはどういうものなのですか？　いままでのメンバーシップ型だと、いわれた仕事をしているうちに管理職になり、数十年後には一部はもしかしたら経営側にもなるかもしれない、男性だけですが、そういうある意味では夢があったとも言えると思いますが、ジョブ型だと入社時に契約した仕事をずっとやり続けるということになるんですか？**

**本田**　基本はそうなんですけれども、ある仕事をし続けていれば、あるいは社内外の研修などでスキルが上がって行ったりしますよね。そうなればより高いポストに、自分の意思で社内の公募などに手をあげて移動したりということは海外でも普通にされています。一つの仕事しかやり続けられないわけではなくてですね、いろんなチャンスはあって、そのチャンスに対して自分が十分に満たす人間だということを示すことができれば昇進したり、自分の意思であえてポストを変わったりということは珍しくありません。「自分の意志で」ということが重要なんですね。それまでと全然関係ない部署に会社の都合で急に配属させられたりということではなく、「あれをやってみたい、私にはできます」と手を挙げて職務を変わっていく。その時に契約も更改して、より責任の重い仕事なら当然、給料も上がる。そこでやり続けたい人はずっとそこでやることもできる。

**――単に働き方が変わるだけでなく、人生も生活も変えられるんですね。日本企業では、組織や運営を相当変えなければならないでしょうか？　変化というものは日本社会が最も苦手としているものかもしれませんが。**

**本田**　部分的に切り出していくことはできると思っていますし、その部分というものもやり始めてみれば意外と広いのではないかと思っています。例えば広報であれ人事であれ、サプライチェーンマネジメントであれ、経理や法務であれ、実際には高い専門性を必要とする仕事の集積で企業は成り立っているんですね。それを切り出して、その仕事に関して高い知識や経験を持っている人を当てていく、可能なところから変えていくということです。異動のやり方に関しても、社内公募というような、一部ではなされているようなやり方が常識になっていくとかですね、そんなに魔法のように変えなきゃならないわけではないと考えています。

問題は、企業側が、それは本当に必要なのだという腹を据えた見方をしていないということです。

## 男性も女性もつらい

――ワークシェアリングもいいなと思いますが、ジョブ型の働き方というものも、出産などで長期休暇を取るような女性の働き方や人生をよりよく変えられる制度かなと思えてきています。

その一方で、本田さんが秋に毎日新聞に寄稿されていた「男性の働き方」に関する記事が印象に残っています。日本の女性がいかに家事に時間を取られ睡眠時間まで削られているかなど、女性の働き方や生活については多く語られるようになっています。そのなかで「隠されている「日本男性の状況の異常さ」　もう一つのジェンダーギャップ」として、あえて男性の側からみた家庭生活の貧しさが分析されていて、それが実は男性たちの本意でもない、「男性性」というものが一人歩きして男性の人生を蝕んでいる。それは女性の生きにくさの背景としても興味深いものでした。

**本田**　そうなんです。私もいろいろなところでジェンダーの話をしてくれと頼まれてすることも多いんですが、これがかなり難しいんです。ジェンダーの話をすることですぐに起こりがちな反応は、男性がピキッとなるんです。ジェンダーの話になれば、もう少し女性に社会進出をということになりますから、そうすると、男性からは明に暗にネガティブな反応がくるんです。女性が自分たちの仕事を奪いにくるのかとか、あるいは女性に下駄を履かせようというのかなど、すごくきつい反応が返ってくることもある。でもそういうのとはちょっと違う反応もある。たとえば「自分はそんなに仕事人間で行きたくないんだけど、女性の方から、高い地位であったり、仕事上の活躍を期待されているので、仕事をセーブしたりすると女性が誰も相手にしてくれなくなる」というような切実な告白というものが出てきたりもするわけです。それですごく悩ましい。「すごく高い下駄を履きまくっているのは男性の方でしょ」というような腹立ちもめちゃくちゃあるんですけれども、そうばかり言っていてはなにも動かないだろうなと思いまして、あえて意図的に男性の側に立って語ってみようかなと思ったのが毎日新聞の記事なんです。

あれがどのくらい功を奏したか分かりませんし、たぶん奏していないんだろうと思うんですけれども……。女性が公的な場面でプレゼンスが少ないことだけが問題なのではなく、男性が女性からも期待される形で働き手、稼ぎ手であることを強いられている。実は社会調査の中でもそれが不本意だということを示すものがあったのであの記事を書いたんですが、つまり男性自身が望んでいるわけでもなかったんだということを言おうとしたわけです。つまり可哀想なのは男性、男性をもっと人間的なところに持っていくということをとりあえず言ってみようかなと思ったんですね。

男性もつらいと思いながらも、あてがわれたアイデンティティを手放してどんな生き方があるんだろうということをイメージできないほど、日本ではもう長い間、そういうことが根付いてしまっている。女性も「稼ぎのない男性なんて男じゃない」なんてことを、内心思っていたり、あるいは表現してしまう女性だってそんなに珍しくないわけで、そこも反省する気持ちもあるのではという気持ちもあります。とはいえ、何もかもが絡み合っているんですけれども、女性も外で働くこと、ちゃんと認められる高い地位につくことが難しいので、だから男性に稼いでくれることを期待せざるを得なくなっている。男性女性の非対称性というものが変な方向に絡み合ってねじれているんです。このねじれを解消しながら、男性も仕事以外の家庭生活も確保でき、女性もちゃんと男性に期待しなくて済むくらいの収入を稼ぐことができるような、人間であるからにはあれもこれもあったほうがいいよねというところで、対立ではない合意に持っていければと思ってはいますが、まあ難しいですね。

## 日本が変わっていくためには

――働き方を考えてもそうですし、本田さんの『「日本」ってどんな国?』で紹介されるさまざまな統計からも浮かび上がるように思いますが、日本という国では人権というものが各所で蔑ろにされています。子どもや女性もそうですし、今のお話のように男性もそうです。外国人もそうです。これはどういうことなのでしょうか。これを突破できる道はどこかにあるんでしょうか?

**本田** ちょっと単純化し過ぎかもしれませんけれども、根源は自民党です。

――(笑)ほんとうにそうですね! 2022年はそれが本当にあからさまに見えました。見えたことで、少しは変わっていけるといいのですが。

**本田** いやいやいや。自民党の支配が本当に変わりうるのか、オルタナティヴを野党が担えるのか不安なのは当然なんですけれども、自民党の中に今の日本のさまざまな病理があって、それを彼らは変える気がないんです。それどころか悪い方に進めていこうとしている。やる気満々ですよね。女・子どもを、それだけでなく一般の男の人も服従させて、国に都合の良い状態に持っていこうとしているのは明らかです。つまり人権なんていう発想はないですよ。困窮している人とか、文句を言う人とか、彼らが思う「美しい国」にNOを言ってくるような人間には、彼らからすれば元首相が言った「こんな人たち」扱いで、鬱陶しいじゃまな、死んでくれという存在なんですよ。

**——死んでくれと！**

**本田**　いやいやそうなんですよ！　社会保障費だって高齢化の中で高くなっていますよね。彼らは明言こそしませんが、コロナの対応を見ても、高齢者なんか死んでくれていいというようなことをしてきています。自宅に放置して勝手に死んでくれということになっている。厄介者は死ねなんですよ。それが彼らのいう自助なんです。

　確かに人権意識は全体に低いですが、これを高くするためには明確な意図と方針のもとに、教育内容であったり、これに関する諸法制の整備であったりを押し進めていかなければならないわけですが、それをしなければならない存在である人たちが全くそう思っていない。国連の人権委員会からももういくつも指摘がされていますが、変えていく気がないですね。海外から来てくれている人たちに関しても、女性や子供に関しても、やってるふりばかりで絶対にちゃんとやらない。必要だとも思っていないんです。

**——でも、それが自民党的なものだとすれば、つまり政権交代が起これば日本社会は変わる可能性があるということでもありますよね。**

**本田**　政権交代をしてほしいという気持ちは、私はあります。でも立憲とか応援はしているんですけど、ふらふらふらふらしていたり、連合の会長と同じでじぶんたちの役割をどのくらい自覚してくれているのか、ちょっと心配になるときもあります。もちろん頑張ってくれているときもあります。もう一つの可能性は自民党が、いまの自民党ではなくなるということですね。これはあり得ないかもしれませんが、あそこまで旧統一教会ですとか、保守的な思想に毒されてしまっている人たちがガラッと、一般の人たちの人権や命を守る方向に、本当に「ガラッと」変わるという奇跡はほとんど想定することは難しいですけれども、変わってくれれば名前は自民党でも構わない。

**――うーん。では私たちにできることはあるんでしょうか？**

**本田** 私たちにできることは、怒り続けることです。あらゆる手段を使って、怒り続けることですね。そしてその怒りを表明し、冗談じゃない、バカにすんじゃない、こうしろ、ということを言っていくことです。やり方はさまざまで、路上を歩いてもかまいませんし、集会をしてもかまいません。ハッシュタグでツイッター上でデモをしてもかまいません。

それからマスメディアにも変わってもらわなきゃいけません。統一教会についてはワイドショーの「ミヤネ屋」が頑張ってくれて、いろいろな情報を掘り出してくれたり伝えてくれたりしましたね。テレビの終焉とかなんだかんだいっても、まだ特に高齢層はテレビなどのマスメディアに情報を頼っていますから。自民党支持率、内閣支持率も下がりましたから、メディアも少なくとも批判や追及をやったふりはしなきゃならなくなりました。

**――役立たずは死ね、という社会で私は生きているんだということを考えると恐ろしくなりますが、高齢者や子ども、病人などを見捨てたらもう日本に残るものはないんじゃないでしょうか。これからの日本はそういう人たちと一緒に生きていくためのケアワークがもっとも重要な仕事になるように思うくらいですが。**

**本田** そうなんです。だからこそケアワークはエッセンシャルワークと呼ばれたりする。不可欠な仕事ということです。ただ、労働集約的な仕事で、人件費がコストの大部分をしめてしまうということがあって、超効率化ということがしにくいんですね。この先、ロボットなんかが開発されてオートメーションで入浴なんかができるのかもしれませんが、それがクライアントにとって幸せな状態では多分ないでしょうから、ケアワークに従事してくれる方々は本当に大事なんですが、働かせる側からすると人件費を圧縮したい。でも働く側はケアの対象が喜ぶからつい働いてしまう。

**――そういう仕事に対して相応の報酬が必要だという合意はこの社会に出てきていると見ていますか?**

**本田** 微妙ですね。全体から見ると受け入れられていないからまだまだ労働条件が過酷になっていたりすることはあると思いますが、やはりそれは本人たちの声や動きで、広く受け入れさせていくことが必要だと思うんです。それは出てきてはいるんですが、まだまだもっと必要かなとは思います。

**――やっぱり、闘って、得ないと、ということがすべてに共通するんですね。**

**本田** そうです、そうです。服従を強いる圧力がすごく強い社会だからこそ、あえてワーワー言っていく必要があると。すごく勇気もいるし、面倒くさいし、大変だし、なかなか実現もしないので暗澹ともするのですけれども、そこを抜きにしてはひどい状況がよりひどくなる形で続くだけだと思っています。怒りであったり、屈従し切らないという覚悟が世の中に必要なんじゃないかと思います。

*essay*

# 暴力の時代の「知識人」たち

文＝酒井隆史

よく映画やＴＶドラマで、トラブルに手を焼いたボスがその手下に「始末しちまえ」とささやいたとしたら、それはたいていトラブルを種ごと葬ってしまえということだ。つまり、「殺しちまえ」ということである。

かつて「ユダヤ人問題」に「取り組んだ」ナチスは、その「問題」をいっきょに「解決」してしまおうと決断した。いうまでもなく、それが具体的に指していたのは、「ホロコースト」、つまり暴力による解決、物理的絶滅であった。

暴力とはこのように「問題」をたちどころに解決する手段である。だから、それは社会の複雑化にともなって、手段としては消えていく、すくなくとも副次的なものになっていくとされてきた。それよりもコンセンサス、人びとの意識に働きかけて同意を調達することが大事なのだ、と。そういった発想には、まったく理がなかったとはいわないが、むしろ、現代世界のありようをみえなくさせる効果のほうが大きい。

よく考えてみよう。そもそも、なんらかの問題を「たちどころに」解決する手段があるなんて、どこか非現実的なところはないだろうか。わたしたちの人生はたいてい、解決したとおもってもつぎからつぎへと問題が押し寄せてきて、ひとつひとつ長い時間をかけて、あるいは結局、解決できないまま終わるというのに。

profile　さかい・たかし
大阪公立大学教員、専攻は社会思想史、都市社会論。著作に『通天閣』（青土社、2011年）『完全版 自由論』（河出文庫、2019年）、『暴力の哲学』（同、2016年）、『ブルシット・ジョブの謎』（講談社現代新書、2021年）。訳書にP・クラストル『国家をもたぬよう社会は努めてきた』洛北出版、D・グレーバー『ブルシット・ジョブ』岩波書店、『官僚制のユートピア』以文社、『負債論』以文社、M・デイヴィス『スラムの惑星』明石書店など。

ところが暴力は、そんな悩みを一挙に解決してしまう。すくなくともそれは、世界をたちどころに一変させてしまう。そんな力を人類は、ほかにもっていない。もっているとすればそれは、「魔術」と呼ばれたものである。だから、暴力にはどこか魔術的なところがつきまとう。たとえば、神はたいていことさら暴力的であり、ときに気に食わないひとつの部族を一瞬にして全滅させることもある。あるいは、みずからの神聖性をあかしだすために、ときに王は気まぐれにそして冷酷に人を殺してみせる。戦争はもちろん、もろもろのゴタゴタを一挙に解決しようとして（あるいはそれを口実として）起きる、こうした暴力の論理の極北でもある。

この点でいえば、ひとつの社会がいきづまってしまったとき、暴力がはびこるのは自明の理である。解決しようとしても、問題はつぎつぎと起きてくる。しかも、大きくなって、さらにややこしくなって襲ってくる。あれこれつきあげもうるさい。始末してしまえ、というわけだ。

パンデミックの数年をへて、すでにこの世界、資本主義的近代は終わりをつげ、つぎの世界（あるいは人類社会の崩壊）への過渡期にあることが、多くの人の目に明白になりつつある。しばしばいわれることだが、「ニューノーマル」などどこにもない。あるのは「ニューアブノーマル」である。とはいえ、注意しなければならないのは、ニューノーマルという言葉自体、この「終わり」を否認して、なおも多少手を加えれば――わたしたちが努力していささか適応すれば――これまでとおなじくやっていけるという、幻想的コンセプトである点だ。炎の燃え広がりつつある邸宅でもパーティはつづけられるぜ、ニューノーマルという概念が教え込もうとしているのはそれだ。

忘れてはならないのは、現代の社会のなかで特権をもった階層、つまり富を保持した階層は、ある程度その危機を知っていることだ。そして、もうひとつもっと鋭くこの危機を認識している層もある。それはいまの社会の幻想、つまりいっしょに夢想することがかなわぬ人たち、そしてそれを脱落した人たちである。このことは、この数十年、気候危機やジェントリフィケーション、レイシズム、資本主義の問題に先頭に立って取り組み、抗議の声をあげ、つぎの世界のありかたを模索してきたのが、先住民やエスニック・マイノリティ、若者、女性たち、性的マイノリティであったことからもわかる。

問題は、20世紀のシステムが、とりわけ二つの大戦のあと、たまたま培養することのできたいわゆる「中間」階層である。かれらはこの危機を薄々認識したり、直撃されたりしながらも、まだ夢想に与ることもできる。労働組合をはじめとする独自のアソシエーション（支配的認識に根本的に批判的ともなりうる独自の知や倫理をもちえた世界の基盤）を失って孤立するその階層は、特権階層に比較すれば、みずからの基盤の崩壊にかかわる状況を認識するための知の共有をえる機会にも、行動のための知恵を継承する機会にも乏しい。

このような状況を考慮すると、意味をもって浮上する現代の特徴がある。それは、この富裕層みずからイデオローグとなって、あるいは富裕層たちのグループに属する「知識人」がイデオローグとなって、メディアを駆使して、むきだしにみずからのイデオロギーを散布しだしたことだ。たとえば、昨年のいつ頃からか、イエール大学の若い日本人経済学者（成田悠輔）がユーチューブやアベマＴＶで露出をはじめたことを不審に感じなかっただろうか。たしかに日本でそれなりに売れた本があったとはいえ、目の醒めるごとき新理論を展開しているとか、あるいはそれ以外で革新的理論を提起しているというわけでもない。この人物は、すでに屍骸となったネオリベラル・イデオロギーをまきちらしている「若きゾンビ」にすぎない。しかし、その露出度は異常としかいいようがない。

この異様な現象がパンデミックによって日本でも共有されはじめた危機感――「人新世」のような概念の遅ればせの普及など――への支配層による応答であることはあきらかである。もとより、実績があるわけでもなんでもないが、なんらかのかたちでアカデミズム出身であるという根拠のみで「知識人」としてメディアを通して支配層の思惑を代弁する人びとの増殖は、２０１０年代の現象であった。こうした「御用知識人」は、むかしからいた。しかし現代のそれは、「御用」のようにみせかけないという配慮のあった「御用知識人」と異なり、論理の一貫性や事実、真理性にはほとんど無関心のまま、むきだしにその都度の支配層の利害を代弁してみせるものたちである。すでにタレントがコメンテーター化していたクロスオーバー空間にかれらはすばやく定着をみせた。

暴力とこの現象がどこで関係しているのだろうか。たとえば、この経済学者は、今年、「高齢者」の「社会的切腹」を唱えて称賛を浴びた。その現象自体が異常であるのだが、新時代のネオリベラルなメディア知識人たちのお気に入りのテーマが、社会保障システムの崩壊という問題に対する応答としての、高齢者への選挙権剥奪をはじめとした「社会的絶滅」である。このような「提案」が「問題」の「たちどころの」解決であることはあきらかで、その点からいえば「切腹」は比喩にとどまっていない。実際、この「提言」が、近年のマイノリティへの暴力の頻発と共鳴していることはあきらかだ。そして「差別」の問題に、差別される側をこの世から消してしまって「解決」とする思考パターンは、ナチスと相同的なものである。

高齢者が「切腹」して社会的に絶滅したところで、問題はまったく解決するわけがない。問題は「高齢者」ではなく、システム自体にあるからだ。「高齢者」が絶滅したとしたら、かれらは別の「切腹」すべき人びとを探しだすだろう。

いよいよファシズムじみてきた「自由社会」の経済学から、すこし距離をとって考えてみよう。いま世界はどう動いているか。この世界を「賢明」な宇宙人がみて最も奇異にみえるとしたら、人類史上類をみないほどの富を生みながら、その人類世界は欠如の遍在にあえいでいるということ、そしてその欠如によって多くの人間が苦渋にあえいでいることだろう(たいていその富は苦渋にあえいでいる人間自体の生産したものである)。わたしたちは、ピラミッド建造をおもいたち、それを実現させるほど強大な権力を有したファラオと、ムチでその建造に駆りだされ苦吟する民衆の構図を、過去の野蛮な時代と鼻であしらっている。しかし、2022年のW杯で、カタールにおいて施設の建造にあたった移民労働者の少なくとも6500人の死は、この構図が過去のものではないことを物語っている。しかも、この労働者たちが建造にあたっていたのは、カタールの高温を回避し適温を保持するべく定められた競技場であった。つまりW杯を見物する富裕な人間に、その快適空間を提供すべく、かれらは駆りだされ、死ぬまで働かされたわけだ。しかもしかも、である。現在、ピラミッド建造の古典的なイメージ、強大なファラオと奴隷的民衆という構図は、考古学研究によって破棄されつつある。それはより共同事業的な側面が強かったとされるのである。とするならば、いったい人類の進歩なるものはなんだったのか。考えずにすませられる人間が、どれほどいるだろう。

それにしても、かれらがなぜそんな危険な労働に動員されたのか。せんじつめるならば、貧しいからだ。富がこれほどあふれているのに、なぜこの巨大な欠如が生まれるのか、それは、資本主義がこの構図を手放さないからだ。つまり、資本主義とは富とともに欠如（貧困）を生産し、それによって人の服従を確保するシステムなのだ。そして、この欠如を必然と、服従を自由といいくるめる知の生産の前線で「経済学者」をはじめとする知識人たちは機能してきた。かれらはこれからも、この豊かさのなかに欠如を導入する役割をはたしていくにちがいないし、矛盾がどうにもならなくなればなるほど、「提案」は暴力的なもの、すなわち「たちどころ」のものになるだろう。こうした状況はかれらなりの危機感からのものである。人びとの現実が否応なくシステムそのものの問題にふれればふれるほど、そこにある紙一重の豊かさから目をそらせ、欠如を導入し、競争に駆り立て、つぎに絶滅すべき敵を名指しつづけることになる。そして、かれらが増幅する攻撃的な空気は、その空気に感染した人びとによる暴力の発動を容易にさせていくだろう。

わたしたちの課題のいくつかはあきらかだ。パンデミックを転換点として、これから絶滅をめぐるむきだしの闘争はより激化する（ときに隠さず口にするように、かれらは富の防衛のために地球上の多数の人びとと闘う気なのだ）。富裕層とその同盟者はシステムの正当化が困難になればなるほど「たちどころ」の解決をもとめていく。それと同時に、膨大な富を投入して、システムから振り落とされていく人びとに夢想を提供し、その「障害」として敵に対する憎悪を注入していくだろう。老いた恐竜の死に巻き込まれることなく、わたしたちが生き延びるためには、その「若づくり」に幻惑されないようにしながら、つぎの世界の構築に着手しなければならない。現在の危機をかれらより深く認識し、別の想像の空間、別の世界のイメージ、別の論理、別のルールを、あらゆる場所において、あらゆる手段を駆使して組み立てていかねばならない。

essay

# ぼっち・ざ・すていとおぶまいんど

文＝三田格

安倍晋三銃撃事件が起きた直後に容疑者とは高校が同じだったという同級生がＴＶの報道番組で「なんで声をかけなかったんだろう」と後悔の念を示していた。そのコメントに対して番組は特に解説を加えるでもなく、彼が声をかけていれば銃撃事件は起きなかったとは言わないまでも、事件の引き金を引いたのは孤独だったと示唆する雰囲気が番組全体にしっとりと横たわっていた。事件の容疑者と孤独はそれ以前からセット販売のようにメディアを徘徊し、どんどん膨らみ続け、いわゆる「無敵の人」を社会から無くすことが最も建設的な議論であるかのような流れになっていく。裁判どころか事件発生から半年も起訴されなかったので容疑者の動機について推測で論を立てるのは仕方がないにしても、多くの人たちが金も友人もない人は何をするかわからないという考えで一致していく。そこにあるのは容疑者本人を通り越して孤独に対する興味が上回り、人々が無意識に恐れているものが照射されているように思えた。教団に対する恨みや社会との齟齬はもちろんあったと思うけれど、容疑者本人が功名心や何かを成し遂げたいという欲望を抱いていなければ、さすがにここまでの事件は起こさないのではないかと疑う僕は、犯行と「孤独」を直線で結びつけて理解しようとする論調にはいささか距離を感じるとこ

profile　みた・いたる
1961年、LA生まれ。ライター／編集。共著に『無縁のメディア』（粉川哲夫と）など。編書に『Ambient Definitive』など。共編書に『永遠のフィッシュマンズ』など。

ろがある。安倍銃撃事件を論じるほとんどの論考は銃撃のターゲットが歌手の桜田淳子でも成立するような内容ばかりだし、殺されたのが安倍晋三だったのはなぜかという疑問には答えず、過去にあったどの事件と似ているかをあげつらって何かを言った気分になっているだけで、この事件だけに言えることは何かを考えようとする人は意外と少ない。

銃撃事件が起きた22年は一方で「ギャル」が急に増殖した年でもある。「(トラップのリズムで)ギャルちょーかわいい(腕を曲げたポーズ付き)」が女子高生の流行語大賞2位となり、フジテレビ系深夜の「ギャルフェス」でラッパーとしてデビューさせたり、ユーチューブ「佐久間宣行のノブロックTV」では罵倒芸を育ませ(これはソフトバンクのウェブCMスパイ本部編に発展)、アベプラで議題に挙げ、NHKまで選挙の投票率を上げる実験にギャル部隊を駆り出すなど日本社会のエネルギー源として各所で有効活用が模索されていた。90sの「ギャル」と決定的に違うのは往時がストリート・カルチャーだったのに対し、現在は東京ガールズコレクションで活躍するようなファッション・モデルを中心としたメディア対応のビジネス・ギャルが割拠していること。つまり、背後には誰かしらプロデューサーがいるということで、香港で議事堂に突入したリベラルが自然発生的に雪崩れ込んだのに対し、アメリカで議事堂に突入したオルタナ右翼には号令をかける人がいたという違いと同じ。「ギャル」の特徴は見た目もさることながら性格が「おばちゃん(的なもの)」だということに尽きると僕は思っている。若いので気づきにくいけれど、気さくでずけずけと物を言い、常に楽しく笑い転げている姿はまさしく「おばちゃん」である。道端で数人の「おばちゃん」が勢いよく笑っていると、僕にはどうしてもそれがギャルの所作と重なって見える。「おばちゃん(的なもの)」というのは、そして、銃撃事件の容疑者のような「青年の孤独」をあっさりとぶち破ることがある。ふたこと目には「ご飯は食べているか」とか、「おばちゃん(的なもの)」は青年が孤独に思い詰めることを許してくれない存在である。思いっきり日本的な共同性に回収し、人を正道に戻してしまう。前述の「ギャルフェス」でもギャルたちが階段を登れないお年寄りや失敗したスタッフにどれぐらい優しくしてあげるかという隠し撮り企画をやっていて、彼女たちに期待されていることがとてもわかりやすく映像化されていた。岸信介が安保に反対する学生たちを黙らせようとしてヤクザを大量に投入した話は有名だけれど、むしろ大量の「おばちゃん」をゲバ学生たちにぶつけた方が安保闘争は手早く収拾できたのかもしれない。岸信介は恐父を気取り過ぎである。

なぜ「ギャル」がこの時代に召喚されたのか。孤独な人たちが何をするかわからないという恐れにフタをするためだろう。やまゆり園や京アニの放火など、確かにそこには「無敵の人」がいて「孤独」が引き金になったのかもしれない。ミレニアム前後に「自分というのは複数の他人の中に散在している破片の集合体」という考え方が流行っていた。自分中心に物を考えていた西洋哲学が自分ありきから他人ありきに考えを変え、最近だと「私たちが何者かであるためには他者からの名指しに依存している」と、さらに他者性が増している。これはSNSの時代になってみるととてもわかりやすい考え方で、メールやメッセージになんのリプもなく、「いいね」がひとつも押されなければその人は存在しないと同義になり、他人のなかに映し出される自分がいなくなるとヴァーチャルな孤独が現実の自分をも苦しめることになる。SNS時代は他人ありきがデフォルトであり、朝起きると世界には自分以外は誰もいなかったという設定の映画やマンガが大量に生み出されたのも人々の潜在的な恐怖が高まっていたからだろう。自分が「見られている」と言わず、若い人ほど(相手が)「見てくる」という表現に変化しているのも他人ありきの感受性が増大していることを示している。誰かとつながっていないと生きた心地もしないという人にはむしろデカルトの「我思うゆえに我あり」という考え方があることを教えてあげたいし、そう考えればヴァーチャルおばちゃんたちがメディアに駆り出されておせっかいな気分を充満させる必要もないだろう。

90sに「ギャル」がこの社会で背負わされている役割を明瞭に浮かび上がらせていたTVドラマがある。「ロングバケーション」である。自分の内面や生活空間に入ってくることを過剰に嫌う青年(瀬名秀俊)を木村拓哉が演じ、その壁を何度もぶち破り、喧嘩になりかけても青年が孤独に閉じこもることが許せない間借り人(葉山南)

を山口智子が演じている。あけすけに物を言い、常に屈託なく笑う「南ちゃん」のキャラクターは当時のギャルそのもので、現実の世界では援助交際による金銭の獲得ではあったけれど、ドラマのなかでも経済的な自立という課題を持ち、芸能事務所とぶつかる姿はギャルたちが社会の批判や好奇の目にさらされていた時に育てたであろう自意識と同質の葛藤を表していた。物語のクライマックスは「瀬名くん」が夢を諦め、ピアノを売り払う決心をした時に「南ちゃん」が隠れて練習していた曲を弾き、とんでもないおせっかいに「瀬名くん」が心を揺さぶられるシーンである。「ご飯はちゃんと食べているか」というレベルではなく、人の心の向きを変え、いわば自暴自棄になりかけた「瀬名くん」が「無敵の人」になることを防いだのである。そのあとの話は出来すぎで、とくに最終回の後半はいらなかったような気もするし、「夢を持つのが男で、それを諦めさせないのが女」という図式は時代遅れなので、現代に呼び戻す必要はないけれど、話のポイントだけを抽出すれば現代のギャルに求められているのもこれと同じだということはよくわかる。坂道系アイドルに期待される「清楚」に対して女性側からの反発もあったとは思うけれど、おたくがアイドルを育てるのではなく(=推し文化)、かつてのようにギャルが孤独な青年を慰撫するのである(=遊女文化)。古い。90sのギャルは資本主義の外側にいたけれど(稼いだ金はブラック・マネーだし)、令和のギャルは資本主義の、それも古臭いタイプでしかない(競争社会の比喩と言われたAKB48とは反対に順位をつくらず、どれぐらいの頻度で友だちと連絡を取り合っているかという距離感が商品化されているようにしか見えない坂道系はいわば「横並びになる力」を試されている場であり、「いつの間にかいないメンバー」にならないための闘争状態を強いられる。SNSから外されること=孤立を意味する時代のアイドルとしては先端モデルといえる)。

字数がないのでかなり飛ばしてしまうけれど、孤独をつくり出しておいて、それが暴走を始めると「妹の力」ならぬ「おばちゃんの力」が出てくる。そこでストップがかけられなければ犯罪者になる可能性もあり、そうなれば自己責任論で回収する。「孤独」と「おばちゃん(的なもの)」が現実ではあまり出会わないから「ロングバケーション」のようなドラマができるし、ヒットもするのだろうけれど、派遣社員やギグ・ワーカーが増加すると、人々が無意識に恐れているものがこの社会に実態以上の恐怖を与えるようになるのではないか。銃撃事件が起きた翌日に見たツイートで「山上徹也はひとりじゃない」というのが僕は一番コワかった。これはどちらから見ているかによってどうにでも取れる内容だけれど、悪くすれば「孤独狩り」のような方向に向かう可能性もある。過剰な「不審者扱い」が増え、そうでない者にも疎外感を抱かせるという悪循環に陥っていく。「我思うゆえに我あり」が裏目に出てしまえば本当に逃げ場がなくなってしまう。孤独じゃないフリをする社会。それはもう我慢大会である。耐えられない者は必ず出てくる。一方で、メールやメッセージになんのリプもなく、「いいね」がひとつも押されない状況に対処するために、あえて先回りしておくという考え方もある。仏教である。おかざき真里が10年代後半に連載した空海の伝記マンガ『阿吽』(全14巻)はありとあらゆる人とのつながりを断ち切って、それでも生きている必要はあるかと自分に問う修行の様子が描かれている。同作ではこの世の誰1人とも関係がなくても生きられると判断した状態を悟りと呼んでいるように解釈でき、空海がいわば「無敵の人」みたいになってからが本編をなしている。SNS時代にこうした作品が描かれるのは非常に理に適っている。心理学者のスーザン・ブラックモアが瞑想によってあらゆるミームを破壊し、自分で自分を「遺伝子の乗り物」にすると考えるのに近く、あらゆる苦悩から解放してもらえそうだし。

銃撃事件の容疑者が自己実現の欲求を持っていたと僕が考えるのは、その方が人間らしいと思うからである。小説を書こうと思うか、人を殺そうと思うか。旧統一教会に打撃を与えるためにターゲットを安倍晋三にするのはいきなり傑作小説を書いて人々をあっと言わせるような気持ちがあったからで、それこそ「社会との関係性」をより強く求めた結果だと思う。「人との繋がりが大事だよ」と言われて、それを殺人というかたちで実践したのである。人間の価値が生産性で決まる時代に自分を取り戻す方法はそれしかなかったというか。「ロングバケーション」第8話に「だれかにだけやさしけりゃいい」というセリフが出てくる。そう、フィッシュマンズ〝POKKA

POKKA〟の歌詞である。「ロングバケーション」と同時期に活動していたフィッシュマンズは佐藤伸治を中心とする3人組のロック・バンドで、ご存じない方は、社会から切り離され、「目的はなにもしないでいること」(〝すばらしくてNICE CHOICE〟)という乾いた孤独をグルーヴィーな演奏にのせて聴かせることができた稀有な才能だったと認識していただければよい。彼らの音楽は漠然とした孤独に放り出された人々には本当に深々と突き刺さった。「ロングバケーション」が放送終了した2ヶ月後、撮影の合間に僕はフィッシュマンズの佐藤伸治と「ロングバケーション」について話をした。細かいことは忘れてしまったけれど、彼が「あれは観ちゃうよね」と言ったことは覚えている。「ロングバケーション」第6話には「だれのせいでもないよ」というセリフがあり、フィッシュマンズがその半年前にリリースした〝ナイトクルージング〟には「だれのせいでもなくて」という歌詞がある。「ロングバケーション」の脚本家、北川悦吏子が描き出そうとしたことと佐藤伸治が表現しようとしたことはまったく違う世界観のものではなかったのだろう。「あれは観ちゃうよね」というのはけっこう惹きつけられている時に使う言葉だと思うし、佐藤伸治はその日のインタビューで、彼らの作品が多くの人に理解されないことについて、そういうこともどうでもよくなってきたとも話していた。彼の視界から社会が消えかけていたというのか、誰かとの関係性のなかで彼の作品が成立するわけではなく、空海の悟りのような気分に近づいていたのかなとも思う。「仙人みたいになるのは嫌なんだよね」とも彼は言っていて、そのような境地を表した歌詞に「音楽はなんのために　鳴りひびきゃいいの」(〝新しい人〟)という問いかけがある。これは音楽の存在意義を問う歌詞だと解釈されがちだけれど、続いて「こんなにも静かな世界では」と限定要素が付け加えられ、これに視野の狭い解釈を与えてみると、彼らがそれまでに発表してきた曲に「なんのリプもなく、「いいね」がひとつも押されない状況」を「静かな世界」と表現し、反応を返してくれる人に「届けばいいのにね」と結ばれていると読むこともできる。いってみれば届いて欲しい人に届いていない状況を歌にしたのである。〝ナイトクルージング〟には「窓は開けておくんだよ」という歌詞もある。切れてしまうか、とどまるか。そうした葛藤のなかに揺られ続けること。いまどき孤独じゃないなんて、むしろどうかしてると思うし、インターネット時代というのは原理的にいえば80億人が総当たり戦となり、出会わなくていい人同士が出会って無数のコンフリクトを生み出しているわけだから、マッチングする方が奇跡に近く、話し合いが成立する方がおかしいとさえ言える。そうした状態から脱しようとして極端な結論を出してしまうよりも孤独とどう付き合うかを考え続けることに意味があるのではないだろうか。恐れれば恐れるほど孤独は牙を剥き、そうかと思うと「みんなが夢中になって暮らしていれば　別に何でもいい」（〝幸せ者〟）ものでしかなくなる。映画化によって21年に大復活を遂げたフィッシュマンズの価値観は22年に入ってウクライナ侵攻や安倍銃撃事件によって一瞬は吹き飛んだようにも思えたけれど、むしろ、これからより一層、重要性を増していく気がする。

essay

# 必要なのは「死なないためのノウハウ」

## ——2023年を生き延びるための知恵

文＝雨宮処凛

profile　あまみや・かりん
1975年、北海道生まれ。作家・活動家。00年、自伝的エッセイ『生き地獄天国』（太田出版／ちくま文庫）でデビュー。著書に『生きさせろ！　難民化する若者たち』（07年、太田出版／ちくま文庫。JCJ賞受賞）、『コロナ禍、貧困の記録　2020年、この国の底が抜けた』など多数。最新刊は『学校では教えてくれない生活保護』（河出書房新社、2023年1月出版）。

「派遣の寮を追い出され、所持金も尽き、もう3日間、水しか口にしていない」

「コロナで仕事を失い、家賃を払えずアパートを立ち退くように言われている。頼れる人もなく、死ぬことを考えている」

「車上生活。自殺するつもりだったが死に切れなかった」

「物価高騰でとても生活していけない」

これらの言葉は、コロナ禍の3年間で耳にしてきたものだ。

20年3月、困窮者支援のために結成された「新型コロナ災害緊急アクション」（反貧困ネットワークが呼びかけ、40ほどの団体からなる。私は反貧困ネットワークの世話人）のメールフォームには、22年末までの3年近くで約2000件のSOSが寄せられてきた。メールをくれる人のうち、7割がすでに住まいを失い、4割が携帯が止まっている状態。10～30代が6割を占め、所持金100円以下が2割。また、女性の割合も2割だ。

そんなSOSに対して、連日のように支援者が駆けつけ支援をしている。

残金が一万円ほどあれば「週末の炊き出しにきてください／今週、事務所にきてください」と言えるが、所持金ゼロ円であれば電車にも乗れない。数日食べていなければ待ったなしの状況なので、その人のもとにまず向かわなくてはいけないのだ。

そうして聞き取りをし、住まいがない場合は安いビジネスホテルをとって休んでもらう。残金わずかの人が大半なので食費も必要だ。

このような形で、3年近くにわたって緊急宿泊費や緊急生活費として「新型コロナ災害緊急アクション」が給付したお金は9000万円以上。原資は全国から寄せられた寄付金（緊急ささえあい基金。コロナ禍での困窮者支援のため20年3月に立ち上げ）だ。多くの場合、後日、生活保護申請という流れになる。住まいも所持金もない場合、使える制度はそれくらいしかないからだ。

そうして支援者が役所に同行して生活保護申請をする。私もコロナ禍で申請同行をしてきたが、なぜ一緒に行くかと言えば、一人で行くと「まだ若いから働ける」などと追い返されることもあるからだ。

また、住まいのない人の場合、申請できても「無料低額宿泊所」に入れられてしまうことも多い。相部屋で衛生状態も悪く、生活保護費をほとんど毟り取られてしまうような「貧困ビジネス」まがいの施設も多いところだ。が、支援者が役所と交渉すれば、そのような劣悪な施設ではなくホテルに入れる。

東京の場合だが、コロナ禍では、住まいのない人が生活保護申請した場合、1ヶ月ほどホテルに滞在できたのだ。残念ながら22年11月以降、ホテル利用は制限されたのだが、この運用には多くの人が助けられた。

ホテルにいられる1ヶ月の間にアパートを探し、アパートに転宅できるからだ。生活保護を利用していれば、「転宅費」という形で敷金などが支給される。これまで、まとまった初期費用が出せなくてネットカフェ生活が長引いていた人たちが、そうして「住まいのある暮らし」を取り戻していった。中には10年にわたるネットカフェ生活に終止符を打った人もいる。鍵のかからない個室で盗難に怯えながら熟睡できなかった生活が、福祉を利用することによってやっと終わったのだ。住所が定まれば住民票も手に入り、仕事の幅もぐっと広がる。このような形でこの3年、多くの人が「脱ホームレス」した。

と、ここまでコロナ禍の困窮者支援について書いてきたが、そんな活動をしている私は作家・活動家。06年から17年、貧困問題をメインテーマとして取材、執筆、支援活動をしている。現場で知ったニーズを記事や書籍にしつつ、政府交渉という形で国に伝えることもしてきた。

そんな私もコロナ禍の打撃をもろに食らった一人だ。20年、講演やイベント出演がほぼ中止になってしまったからだ。これによって収入は半減。しかし、ギリギリ持続化給付金の対象にならず、収入減はコロナ禍3年目の現在も続いている。

しかし、私にそれほど焦りはなかった。なぜなら、これまでの活動によって、「経済苦で死なないノウハウ」を山ほど持っていたからだ。

仕事がなくなったら。病気や怪我で働けなくなったら。借金を背負ってしまったら。ホームレス状態になったら――。

これを読んでいるあなたにも、そんな不安に駆られる瞬間はあるはずだ。特にコロナ禍では、「まさか自分が」という人までもが経済的な苦境に追いやられた。

特に私はなんの後ろ盾もないフリーランス。独り身なので経済的に頼れる人もいない。

ここで経歴を簡単に紹介すると、出身は北海道で現在40代なかばのロスジェネ世代。18歳で美大進学を目指して上京、二浪した果てに進学を諦め、就職を考えたものの時代はバブル崩壊後の90年代なかば。就職氷河期で「正社員など夢のまた夢」という状況で、やむをえず19歳から24歳まではフリーターとしてど貧乏生活を経験した。

25歳でなんとか脱フリーターして物書きデビューしたのだが、フリーの物書きなどフリーターより不安定。実際、つい数年前までクレジットカードすら作れなかったし、数年前には賃貸物件の入居審査にも落ちたという堂々たる社会的信用のなさだ。

そんな女が東京で一人、どう生きていけていけばいいのか。

途方に暮れていた06年頃、同世代のフリーターのホームレス化が静かに始まった。当時まだ「発見」されていなかった「ネットカフェ難民」という形でだ。そのような問題を「自分ごと」として取材するようになって知ったのは、「史上最高の好景気」などと言われる中、都市がモザイク状にスラム化し始めているということだ。現場を取材する中で、フリーターらが労働組合を作って「生存運動」を繰り広げていることや、ネットカフェ生活者を支援する団体などの存在を知った。

そのような人々と出会って生まれて初めて経験したのが、「目から鱗が落ちる」というよく聞くアレだ。

それまでの私は、競争社会の日本で生きる人たちは、全員自分のことしか考えてないと思ってた。人を蹴落とすこと、出し抜くこと、自分が勝ち抜くことだけを考え、誰かが失敗したら「自己責任」と突き放して助けの手など決して差し伸べないのだと思ってた。

それがどうだろう。困っている人に当たり前に手が差し伸べられる世界があったのだ。

例えば年末年始、ホームレス状態の人に食事を振る舞う炊き出しの場には、ボランティアや支援者だけでなく、弁護士や医者の姿もある。年末年始の休み返上で寒空の下、困窮者の相談に乗っているのだ。そんな場に、ホームレスになって数日という若者が現れたりすると、魔法のようなことが起きるのだった。

心身共に満身創痍で、初めての野宿に疲れ果てている若者はあたたかいシェルターに案内され、役所が開くと生活保護を申請し、支援者は生活再建まで伴走する。そんな光景を何度も目にした。「自殺するしかない」とまで思い詰めていた人がどんどん元気になり、時に自らも支援者になっていく光景も見てきた。

それまでの私は、そんな若者に対して「ホームレスになるなんて自分が悪いんだろ」「甘えてるからだ」と説教するような大人しか知らなかった。「全部自己責任なんだから自分でなんとかしろ」と突き放す人しかいない世界で生きてきた。しかし、私が出会った支援現場の人たちは「大変でしたね」と傷ついた当事者に寄り添い、淡々と生活再建の手伝いをする。もちろん、無料でだ。そんな現場の多くの支援者が、自分の本業を持ちながらボランティアでそのような活動をしているのだった。

そんな世界を知った時、世の中、捨てたもんじゃないと心から思った。生まれて初めて、信じられる大人たちに出会った気がした。感動しながら、私もそんな人になりたいと強く思った。

もうひとつ、思ったことがある。それは、このような人たちの近くにいたら、私の生存確率は爆上がりするということだ。何しろ、何かあったらこの人たちに泣きつけばいいのだ。

憤ったこともある。それはちょっとした知識があるなしで生死が分かれるような日本の福祉の脆弱さだ。生活保護という制度を知っているかどうか、支援団体を知っているかどうかで時に生き死にが分かれてしまう。そんなものは最後のセーフティネットとは到底言えないのではないか。

そうして私は06年から「作家」だけでなく、「作家・活動家」と名乗るようになったのだ。

それから、17年。コロナ禍で、「本当に貧困問題に取り組んできてよかった」と痛感している。何しろ私たちには、長年培ってきたノウハウがある。協力してくれる地方議員や国会議員もたくさんいる。そんな人たちと連携しながら、多くの団体がこれまでにない規模の人たちの支援に奔走している。この3年間、現場はまるで野戦病院のようだとみんな口を揃える。冒頭のような緊急性の高いＳＯＳが3年にわたり連日届き続け、22年末の現在、さらに増えている。

そんなコロナ禍は、「誰がいつホームレスになってもおかしくない」ことを証明したとも言える。コロナ不況をきっかけに路上生活となった中には工場派遣で働いてきたロスジェネもいれば、ずっと非正規だった女性も少なくない。また、コロナ以前まで羽振りの良い経営者だったという人もいる。

コロナがおさまったとしても、雇用はすぐには安定しないだろう。さらにこの数年、日本の平均賃金は韓国に抜かれるなど衰退も著しい。そんな中、これからを生き抜くために必要とされるのは、ひとえに「死なないための知識」だと私は思う。社会保障制度や支援団体の連絡先などだ。残金が6万円ほどになったらまず役所の福祉事務所で生活保護申請、親の介護で困ったら地域包括支援センターにまず連絡、などという基礎知識である。少なくとも、生活が破綻しそうな時、「餓死か自殺かホームレスか刑務所か」という最悪の四択を選ばなくていいというだけで絶大な安心感がないだろうか。

ということで、このような活動を、私はすべて自分のためにやっていると断言できる。そして時々、困っている人のためにノウハウを生かしてもいる。このような「死なないノウハウ」がもっと広まれば、日本社会はもう少し優しい社会になるのではないだろうか。

さて、この国はコロナ禍で大きな分岐点を迎えている。それは、助け合いが復権するか、もしくは競争と自己責任社会がさらに激化するかという重大な分岐点だ。

あなたはどちらがいいだろう。私は断然、助け合いの方がいい。自分が困った時に誰も助けてくれない社会で生きるのは怖すぎるからだ。

そんなシンプルな希望のため、これからも活動を続けていく。

あなたや周りの人が困った時はここに書いてあることを思い出し、私の所属する反貧困ネットワークや新型コロナ災害緊急アクションなどに連絡してほしい。

essay

# 山上徹也は何を見つめていたのか

文＝篠原雅武

大和西大寺駅は、近鉄のターミナル駅で、京都と樫原神宮をつなぐ線路と奈良駅と難波をつなぐ線路が交わるところに存在している。周囲には、平城京の跡地と古墳がいくつかある。だが現在の大和西大寺駅は、いわゆるターミナル駅で、中央改札を降りたところにはバスターミナルがあり、車の往来もあって、人は立ち止まることなく動き回っている。中心性を欠落させた、通過のための場所で、だから人だかりは多くても、その集まりはどことなく散漫としていて、まとまりを欠いている。ターミナル付近では、駅前広場の整備工事が行われている。ヘルメットを被った建設労働者が働いており、交通整理のガードマンが何人かいる。バスターミナルから北へと向かう道路の両脇にはサンワシティ西大寺というショッピングモールと近鉄百貨店がある。ショッピングモールの一階にはスターバックスがあるのだが、この店にいると、窓越しに、事件現場が見えるので、事件当日ここでコーヒーを飲んでいた人たちは、銃声と、その後の騒然としていく様子を実際に感じたかもしれない。この道路は、バスターミナル前を東西に走る自動車道路と直交する。この道路を横切る横断歩道と自動車道路の間にガードレールで台型に囲い込まれたスペースがあるのだが、それはあたかも、人も車の往来の落ち着かなさの只中にできあがった

profile　しのはら・まさたけ
1975年神奈川県横浜市生まれ。神奈川県立柏陽高校卒業後、京都大学総合人間学部入学。学部生の頃はニーチェやドゥルーズ、ドストエフスキーなどをよく読んでいた。現在、京都大学大学院総合生存学館特定准教授。主な著書として、『複数性のエコロジー』（以文社、2016年）、『人新世の哲学』（人文書院、2018年）、『「人間以後」の哲学』（講談社選書メチエ、2020年）など。主な翻訳書として『社会の新たな哲学』（マヌエル・デランダ著、人文書院、2015年）、『自然なきエコロジー』（ティモシー・モートン著、以文社、2018年）。

真空地帯のようにも見える。

　2022年7月8日の午前の出来事は、忙しなさの中で起こった。バスターミナルの近くの歩道に佇む灰色のシャツを着た山上徹也は車道の真ん中にまで移動し、北へと向かう道路の只中に向けて引き金を引いた。銃口は、何に向けられていたのか。それは、そこに立つ人間に向けられていたし、そこに立つ人間は死んでしまった。その限りでは、灰色のシャツを着ていた男は実在の人間を殺そうと思って引き金を引いたのだし、だからこそ、その行為は、殺人を禁止する刑法の定めに基づいて、いずれ厳正に裁かれることになる。だが彼は、自分の行為が刑法によって裁かれ罰を受けるに値するものであることをあらかじめ理解していたはずである。それは、刑法や殺人罪といった法的システムの観点だけでは把握することのできない、深刻で重大な効果をもたらしうるものとして意図されていた。

　出来事は、動物園や遊園地の催事場で行われているアトラクションのごとき演説の円滑な軽さを中断させ、破砕し、雲散霧消させるに足るものであった。銃声の後、演壇の上から、マイク越しに発されていた、円滑な自動音声のごとき応援演説は停止したのだが、この停止の瞬間においては、元首相の死には還元することのできない重大な何かが起きていたようにも思われてくる。最初、私はこの事件は、フランコ・ベラルディの著作『大量殺人のダークヒーロー』で描かれたような、自殺志願者的な狂信者によって引き起こされたと予想した。2012年にコロラド州で起きた銃乱射事件に関してベラルディは、苦境にいて、犯罪者になろうとする人がいると言い、そのことで、人は自分の存在感を世に表明し、のみならず自分が陥った地獄的状況からの抜け道を探ろうとすると言い、さらに、その乱射事件が、クリストファー・ノーランの映画『ダークナイト ライジング』上映中の映画館で起きたことを根拠にして、それは「現実生活とスペクタクルの分離を破るもの」と主張する[注1]。これに対し、2022年7月に大和西大寺で起こった出来事は、選挙の応援演説が映像で録画されている最中に起こったもので、その後事件映像がテレビやユーチューブで拡散されていくのに伴い現実世界に不安をまき散らしたと考える

**注1** Franco 'Bifo' Berardi, *Heroes: Mass Murder and Suicides*, London, Verso, 2015, p.1.

こともできる。それでも事件は、自分の存在感を世にアピールするといった自己中心的なものとは違っていた。それは、無差別的な銃乱射や放火殺人とは別の、目的合理性に基づく行為であった。結果として、私たちが存在する世界を覆う、メディア化されＳＮＳ化された表層のいびつさを暴露し破壊したというだけでなく、世の雰囲気に深刻で長期的な影響を及ぼすことになる。

出来事の後に明らかになった容疑者＝山上徹也がジャーナリストの米本和広に送った手紙や、米本のブログに書き込んだコメント、さらに自分のTwitter（すでに凍結されている）は、独特の文体で書かれている〔注2〕。メディア受けを狙う、自己顕示的な調子はない。メディア（ＳＮＳ）的言語構造とコミュニティから脱落した孤独者の文体である。翻訳調の、古風とも言える文章には、自己愛が希薄で、そのことゆえの恬淡さ、アイロニカルな調子が漂っている。それでいて軽くなく、独特の重さが湛えられている。山上は、自分が闇の世界に属していることに、自覚的だった。それは彼がツイッターでニーチェとカフカの引用を踏まえ、次のように書いていることからも明らかである。

「光は暗闇の中で輝いている。暗闇は光を理解しなかった。」聖書にはこう書かれています。ですがニーチェは「昼の光に夜の闇の深さが分かるものか。」、カフカは「悪は善のことを知っている。しかし善は悪のことを知らない。」と述べています。

とはいえ、山上の文章は、闇に追いやられたがゆえの、私的な不満を素朴に述べたものではない。闇にいるからこそ理解できることがある。彼はその理解から、「運命を変えるのは力」だという見解に辿り着く。銃弾である。この考察を起点にして、彼は後に到来することになる出来事の狙い、つまりは何ゆえに起こらざるを得ないか、

注2　米本和広『あと十年をポジティブに生きる記録』「統一と反統一の奇妙な一致」（2020年12月10日）http://yonemoto.blog63.fc2.com/blog-entry-1188.html（最終アクセス2022年11月8日）。

それをすることでいったい何になるのか、そして、その出来事の到来の条件（起こるとしたら、それはいかにして、どのようにして起こりうるか）を巡って思考を積み上げていく。そうしてみると、彼のツイートや手紙、ブログの書き込みは、出来事のための予示的なステートメントと捉えることができる。

山上は、己の行動を、自らの生活経験とそれに関する省察から導き出された必然的な帰結と位置付ける。起点には、自分の母親が統一教会に入信し、家庭が崩壊するという経験があるのだが、彼の文章を読んでいると、山上は、家族が崩壊するということによって自分の人生がどれほどまでに歪められたかを冷静に反省し、なおも自分にできることがあるとしたらそれは何かを問うていたように思われてくる。自己の行為の正当性を弁明するというのではない。重要なのはむしろ、その行為を、自分にはいかんともしがたい状況の客観性ゆえに起こらざるを得ないものとして位置付けることである。

山上の考えでは、自分の思想と行動を直接条件づけるのは、カルト教団が引き起こした、自分の家族の生活の崩壊という、実際に起きた経験上の出来事である。米本和広のブログ記事「統一と反統一との奇妙な一致」でのコメント（「闇もまた見つめている」）で、山上は次のように断言する。「何らかの形で統一教会に関わる者、関わらざるを得なかった者（霊感商法の被害者も含む）が幸福になるには統一教会に囚われ続ける事が障害になるのはその通り。　が、善悪は個人の幸福とは別に存在している」。ここで着目すべきは、山上が、個人の幸福（脱会することで可能になる）とは別の水準で、善悪の問題を提起していることだ。しかも山上は、カルト教団がもたらす悪を、この集団そのものが存在し、成立してしまっている状況そのものに関わる問題として捉えている。すなわち山上は、みずからのカルト経験に関して、「私の一生を歪ませ続けたと言って過言ではない」と言いつつ、この歪みの問題を、カルトから個別的に解放されることでは解決できないこととらえている。というのも教団が存在する限り、また別の家族、個人がそこに捉えられ、崩壊、破壊、苦境が新たに生じることになるからだ。ゆえに山上は、教団が存在することそのものを「万死に値する罪」と捉える。この罪があるがために、教団はただ破壊するより他にないもので、その破壊は、「最低でも自分の人生を捨てる覚悟がなければ不可能」であると主張する。
また山上は、別のコメント（「1％のわけがない」）で、カルト教団による家族の破壊がいかなるもので、それがいかにして利用されたかを巡って、次のように述べる。

何らかの問題を抱え、悩みに、弱さに付け込まれた一人の信者の、或いは被害者の裏には彼らの家族がいる。
そして信じたものが何をしてきたか。意図的に、教会に言われ、「使命」として家族を巻き込み続けた。

ここで山上が指摘するのは、献金の問題だけではない。それにもまして重大なのは、問題と悩みを抱えた一人の生身の人間が、教団の言葉に騙され、つけ込まれ、次第に洗脳され、そのことで回復不可能なまでに悲惨な状態に追いやられてしまった、ということである。問題と悩みを抱えてしまった状態にある人間に、それらに関して、誤った教義で説明し、自分らの教義の正しさを信じ込ませ、著作を売りつけ、市民大学講座に参加させ、グッズとしての壺を売りつけて献金させる。教団が悪なのは、このシステムを最大限に利用し、困った人々から金を巻き上げ、困った状態から目を背けさせつつそれを悪化させ、さらに金を巻き上げ、生存の危機の度合いを深刻化させていくからである。
そして山上は、カルト経験を、20世紀から現在にまで続く全体主義の問題との関連で捉えていく。次なるコメント（「因果はここに巡りに来にけり」）で、山上はこう主張する。

家族を尊重する社会こそあれ、この世どこにも家族を騙し、奪い、争わせることを奨励し、あろう事かそれを喜びさえする集団を是とする社会は無い。それゆえに統一教会もその価値を利用する。ヒトラーやスターリンに並べるべきなのは言うまでもない、統一教会の所業が彼らに比肩し得る人類に対する罪レベルだからだ。

山上は、カルトがファシズムであることを見抜いている。実際、ハンナ・アーレントが展開したファシズムについての考察と同様のことを、彼は指摘している。彼の意見では、「家族のいがみあい」から個々人が孤立し、基本的な生活が成り立たなくなり、苦境におかれていく状態を利用しそこに成立するのがファシズム体制で、それゆえにこれを「人類に対する罪」、絶対の悪ととらえるよりほかないということなのだが、ほぼ同様のことを、アーレントは『全体主義の起源』で指摘する。1966年版のページの最後で、彼女は次のように述べている。

私たちには、絶対の悪が、そこですべての人間が等しく余計者(superfluous)になっていくシステムとの関連で発生したと言うことができる。このシステムを操る人間たちは、他のすべての人間たちの余計さだけでなく、自分たち自身の余計さを信じている。全体主義の殺戮者たちはみな危険だが、なぜならその人たちは自分が生きているかどうか、かつて生きていたのかどうか、生まれてなかったのではないかといったことには気にもとめないからである〔注3〕。

余計者とは、失業状態で、家がなく、家族もなく、孤立した状態のことである。20世紀の西洋の植民地主義的な膨張主義が限界に達し、その矛盾の解決のために始まった帝国主義戦争が、ヨーロッパ国内に反転し、そこで国家間戦争が起こり、経済も悪化する中で、人々は職を失い、住居を失い、人間関係を失って、余計者状態に追いやられていく。アーレントの見るところ、この余計者状態の広がりに対する解決が、運動としての全体主義である。それは、人間をその余計者的なあり方において統合するが、その統合された状況において、人は現実感覚を失っていき、自分がおかれた苦境そのものへの感度も薄くなっていく。運動に参加することで、人が自分が余計者ではないと、考えることができるようになるのだが、もちろん、この想念は、運動体に参加するなか、次第に洗脳されることで獲得された一種の虚偽意識である。アーレントは次のように述べる。

注3 Hannah Arendt, *Origins of Totalitarianism*, New York, Harcourt, 1966, p.459.

しかし運動が持続している限り、そして運動の組織の枠内にいる限り、狂信の徒となったメンバーたちは経験からも論証からも手の届かないところにいる。彼らは自己を運動に余りにも一体化させ運動の法則に余りにも完全に適合させたため、あたかも経験をするという能力が全く失われてしまったかのようであって、その一人一人にいたるまで拷問にすら何も感じず、死の不安さえ覚えることがなくなってしまうのである〔注4〕。

統一教会を宗教法人と捉えるのであれば、それをファシズムという政治的運動体と比較するのは誤っているということになるのかもしれない。だが、統一教会には国際勝共連合という政治運動体の側面があるので、そうともいえない。実際、『ドキュメント異端』（クリスチャン新聞編、いのちのことば社、1983年）には、統一教会の歴史観として、次のような見解が紹介されている。すなわち、その歴史観によると、第二次大戦後、再臨されるイエスを中心とする新しい世界の建設が求められるようになったが、それは人類の終末で、民主と共産の二つに分立された世界を統一するための第三次世界大戦が起こることになる。その戦いにおいては、武器か理念かによる統一が求められる。その統一においては、邪魔者は整理されなくてはならない。人生における苦境や空虚感を満たし、その余計者としてのあり方から目を逸らすために参加した信者たちを、第三次世界大戦という目的に向けて動員し、献金させ、壺などを買わせ、別の信者獲得のための活動に没頭させるということであるが、たしかに、この運動体の構造は、アーレントが見抜いた全体主義運動の構造と同形式である。『ドキュメント異端』の著者も、統一教会の中心人物である文鮮明が「必要のない数千人よりも、必要な一人がもっと大切である」と述べていることに着目し、「第二次世界大戦中、多くの人をガス室に送り込んだファシズムの狂気の底にあったのは、人間を必要の有無ではかる精神構造ではなかっただろうか」と問いかける。

アーレントも、たとえ政治体制としての全体主義的レジームが一時的に崩壊しても、「政治的・社会的・経済的な悲惨を、人間にふさわしいやりかたで軽減するのが不可能に思われるときであればいつでも解決策としての全

注4 Hハンナ・アーレント『全体主義の起原3：全体主義』大久保和郎・大島かおり訳、みすず書房、1974年、7頁。

体主義は新しい装いで復活する」と述べているのだが、そうしてみると、統一教会も全体主義的な論理構造に従ったものといえるだろう。ファシズムは、第二次世界の終わり以後にも存続していたのである。

全体主義は、人間が余計者になって孤立していく状況において成立するというだけでなく、それを利用し、のみならず促していく。山上は、自分が苦境に陥ったことを、おのずと発生したものとしてではなく、彼がファシズムと同型とみなした教団によって引き起こされたと考えているが、それゆえに、許せないことと考える。そこで「誰かを恨むでも攻撃するでもなく」などといい、自分が何者かであること、自分が何らかの属性をもっていることを主張する議論（杉田俊介の「弱者男性論」）を拒否するのは、このファシズム的な状況のいかんともしがたさを認識しているからである。属性をもつことで、余計者的な状況から、逃れることもできるかもしれない。それに関して山上はいう。「良くも悪くも彼らは孤独ではない。属性に埋没すれば彼らは個人から逃れられる上に、数の力を持つ。そんなパワーゲームは成就しようがしまいが誰も死にはしない。個人のない所に絶望はないし、絶望がない所には人間もない」。つまり、何らかの属性を根拠に、自分が誰で、何者であるかを主張し、それとの関連で仲間をつくって徒党を組んでいく状態にいると、たしかに自分の余計者性から目を背けることはできるかもしれないが、それは絶望をないことにすることで、自分が生きていること、それも苦境に陥った状態で生きていることのリアリティに鈍感になっていくことである。山上が拒否したのはこの鈍感さである。

山上の境遇については、彼のツイートで度々語られている。ツイートを読み進めていくと、彼の苦境ないしは「心の氷河期」は、統一教会とは別のところで発生したのではないかと思われる。すなわち、母親が統一教会に入信する前にすでに進行していた、家族内の不仲とともに生じたということがわかってくる〔注5〕。たとえば、２０１９年12月7日のツイートには、次のようなことが書かれている。

**注5** 山上のツイートは凍結されたが、Googleで検索すると、その「魚拓」をまとめサイトなどで読むことができる。以下のツイートの記録は、そこからの引用である。

オレも母子家庭だった。但し貧困ではない。むしろ裕福だった。婿養子ではないが後継ぎとして母と結婚した父を自殺まで追い込んだ母方の祖父のおかげで。

三人兄妹の内、兄は生後間もなく頭を開く手術を受けた。10歳ごろには手術で片目を失明した。障碍者かと言えば違うが、常に母の心は兄にあった。妹は父親を知らない。オレは努力した。母の為に。

祖父にとってオレは何だったのか。出来損ないの父の息子か。オレは祖父に見捨てられない為に演じた。いや、母を殴る父の機嫌を損ねない事が始まりだったのか。

幼稚園の頃から人との付き合い方は分からなかった。何故お前らはそんなに無邪気に、無垢に、あるがままでいられるのか。

オレは作り物だった。父に愛されるため、母に愛されるため、祖父に愛されるため。病院のベッドでオレに助けを求める父を母の期待に応えて拒んだのはオレが4歳の時だったか。それから間もなく父は病院の屋上からから飛び降りた。オレは父を殺したのだ。

オレは道化ではないが、偽り続けたという意味で人間失格に他ならない。そんな偽りの上に立つオレが、祖父が母を殺そうとするのを目の当たりにして壊れても誰がオレを責められるのか。

この断片からわかるのは、第一に、婿養子だった父親と、母方の祖父つまりは妻の父とのあいだには何らかの諍いがあった、ということである。そして、この諍いが、父親と母親との間にまで波及し、父親が母親に暴力を振るうほどにまで深刻化するのだが、身の回りの大人が互いにいがみ合う状況は、子どもの心を消耗させる。子供であった山上徹也には、その内情はわからなかっただろうし、わかったところで何もすることはできなかったのだろうが、その諍いの雰囲気を敏感に感じていたのではないかと思われる。それゆえに、彼は大人の「機嫌を損ねない」よう、顔色を伺うようになる。大人の顔色をうかがって、それに合わせて自分の気持ちを調整し、表明してはならない感情（喜怒哀楽）を押し殺すようになるのだが、この状態を山上は、「作り物」と言い表す。

そして第二に、母親の愛情が自分には向けられてこなかったことにも、山上は自覚的である。病気だった兄にかかりきりだった母は、弟に関心を向けることができなかった。関心が向けられず、寂しい思いをした。それで努力した。もちろん、これは山上の経験である。夫を失い闘病中の息子を抱えた母親の経験は、それとは別の経験である。母親がなぜ統一教会に入信したかは、山上のツイートを見るだけではわからない。入信がきっかけになって始まった家族内の地獄絵図（破綻）は、ツイートで何度も語られていて、そこから憎悪が高まったことも語られているが、母親の内面はもちろんわからない。

ここまで書いてきて、ひとつ疑問が浮かんだ。この文章の書き手である私に、はたして山上徹也のことが理解できるのだろうか。もしかしたら、山上には、私も山上のいう「お前ら」（無邪気に、無垢に、あるがままにいられる人たちとしての「お前ら」）の一部に見えているかもしれないし、そのような「お前ら」としての私には、山上の言うように彼を理解する義務などなく、そんなことをしたところで、彼には「善意という悪意」にしか思われないかもしれない。

ただ、山上はここで自分を理解しない「お前ら」を、政治的な言説世界のコンテクストとの関連で捉えているようにも考えられる。実際、山上は言う。

ネトウヨとお前らが嘲る中にオレがいる事を後悔するといい。

つまり「お前ら」は、韓国人を批判する人たちをネトウヨといって嘲る人たちのことである。具体的には、韓国人への攻撃的な言辞を批判する人たちのことなのだろうが、このようなネトウヨ批判者としての「お前ら」について、山上はこう述べている。

お前らはオレは一つも理解しない所か誤解に基づく偏見で徹底的にオレを貶めたが、それについてお前らが責められる筋合いにはない。オレは何が誤解か決して言わないし、お前らは理解できるものしか理解しない行動の結果を許される権利がある。お前らにはお前らが生を謳歌する権利がある。

山上が拒否するのは、まさにこの手の議論である。統一教会は、韓国の反共主義的な政権の庇護下で育成された政治団体であるという説もあるのだが（日隈威徳『統一協会＝勝共連合とは何か〈新装版〉』新日本出版社、2022年）、それを山上は「集団としての韓国人」と同一視し、ひとまとめにして憎悪する。この憎悪においては、個別具体例としての統一教会が、韓国人一般と同一のものにされているので、そこに何らかの歪みというか、無理があると、指摘することもできるだろう。だが、山上は、この手の「リベラル」な、理論的な語りを拒否する。彼はそれを、誤解に基づく偏見だと言い、それに囚われるかぎり、彼が抱えた憎悪の内実の理解は不可能だと主張しつつ、それでも、理解できないのは、それが「お前ら」による理解の限界を超えたところにあるからで、仕方がない、だから別に理解してもらいたいとも思わない、最後は一人だと言って、ツイートを打ち切る。

ここでふと問いたくなる。この一連のツイートで本当に重要なのは、彼の家族の不和の問題で、そこにいた、4歳の子供が感じた心の傷ではなかったのか。それを隠して、無邪気に振る舞えなかっただけでなく、父の死を自分のせいにしてしまう、当時の自分についての回想だったのではないか。見捨てられた状態にいた自分は、そこで本当のところ、何を求めていたのか。そこで抱えた空虚感を満たすべきだったのは、憎悪でよかったのか。別の感情、つまりは救いへの願い、人間性への希求は、存在を許されなかったのか。

おそらく、そうではなかったはずである。映画『ジョーカー』の主人公であるアーサーに感情移入する山上は、次のツイートを書き記している。

原作やダークナイトの純粋な「悪」というジョーカーから考えるとアーサーはジョーカーではない、というのはあり得る。彼はジョーカーに扮した後でも、自分ではなく社会を断罪しながら目に浮かぶ涙を抑えられない。悪の権化としては余りにも、余りにも人間的だ。

純粋な「悪」としてのジョーカーとはつまり、無差別的な殺人を遂行するサイコパス的な存在としてのジョーカーのことで、クリストファー・ノーランの『ダークナイト ライジング』に出てくるジョーカーのことだが、このようなサイコパスにはなり得ない人間的なアーサー、ホアキン・フェニックスが演じるアーサーのあり方に関心を向ける。実際、このアーサーは、社会の成員すべてを「お前ら」と一括りにして無差別的に人を殺めているのではない。その発端には、夜中の地下鉄で、一人の女性をからかって暴言を吐いたりものを投げつける三人の男に対する怒りがあったのだし、最後に、「マレーフランクリンショー」の番組中に司会者のマレーに発砲したのも、アーサーのコメディを前にマレーが揶揄したことへの怒りがあったからである。つまり、アーサーの攻撃には、それなりの理由がある。「お前ら」という、漠然としたものを相手にしていたのではない。そこには区別が存在している。そして、自分の行為がもたらす帰結そのものを見て歓喜しているわけでもなく、どことなく悲しそうである。

山上が敵視した「お前ら」だって、本当のところ、一枚岩ではなかったはずだ。理解できない「お前ら」もそこにはもちろんいるかもしれないが、理解しようとする人だっているだろうし、それだけでなく、共感する人だっているだろう。「お前ら」と言ってしまうとき、山上は、そのなかに、理解せず貶めてくる人間たちとはまた別の、心を開くことの可能な人もまたいたということを、想像できなくなってしまっている。

だが、アーサーに人間性を見ていた山上には、「お前ら」なるものを拒絶し、孤立を求めてしまう自分のあり方を乗り越え、「お前ら」と言ってしまうのでは見えてこない人たち、そこに属していない人たちに助けを求め、それでまた生き直すのに十分な力があったのではなかったか。この力の向かう先が、どこか別のところに向けられてしまった果てに、今回の出来事が起きたと考えることもできる。

essay

# 一緒に座っている

文＝永井玲衣

わたしは永井玲衣という名前で、東京に住んでいる。犬は飼っていない。干豆腐をよく食べる。最近は、鼻水がやたら出る。カフェで豆乳ラテをつい頼んでしまうけれども、一口飲むと「なんかちょっと違うんだよな」と思う。部屋ではいつもハサミを探している。まちは２０２３年に向けて着々と準備をしている。わたしはまだ用意ができていないが、仕方がないのだろう。

友だちの家に行くと、自分の全く好みではない置物が丁寧に置かれていたりして、あるいは面白くもないコントを「最高に笑える」などと言われて見せられたりして、あるいは大好きな友だちなのにその友だちはわたしが全然大好きではないひとと友だちだったりして、だったりして、だったりして、ひとというのは、なんとまあこんなにもばらばらなのかと頭を抱えてしまう。

ひとびとと、哲学する対話の場をひらいている。集まったひとたちで問いを出し合い、考え合う時間だ。考えることも苦手で、対話することも嫌いで、だからなのか、ずっとつづけてきてしまった。わたしではないひと、犬を飼っ

**profile**　ながい・れい
学校・企業・寺社・美術館・自治体などで哲学対話を幅広く行っている。D2021メンバー。著書に『水中の哲学者たち』（晶文社）。連載に「世界の適切な保存」（群像）「ねそべるてつがく」（OHTABOOK STAND）「問いはかくれている」（青春と読書）「むずかしい対話」（東洋館出版）など。詩と植物園と念入りな散歩が好き。

ていたり、ハサミがすぐに部屋から出てきたりするひと、そういうひとたちとなぜわざわざ対話などするのか。

対話の可能性と限界についてよく聞かれる。相容れないひととも対話すべきですか。自分と異なるひとと、どう生きるべきですか。対話がひらく未来とは。

だが実のところ、何もわからない。問いに応答しようとすると、わたしの喉はふさがって、重たくなる。哲学者だと世の中に思われているので、いろいろなことをよくわかっているひとだと認識されているが、そうではない。考えてもみてほしい。哲学者が他者との生き方にくわしいはずがない。

わからない、わかる、わかるかもしれない、やっぱりわからない、わからないことがわかった、わかったわけがない、わからなくなって、わからなかった、わかろうと思ったけど、わからなくて、わからない。

だがそれでも考え、試みるのがわたしたちの仕事なのだろう。

哲学対話の場でも「異なる他者と生きるには」という問いが出ることがある。ぜひやりたいです！　とみんな意気込む。だが多く出された問いの中からどれかを決めようとすると、その問いは選ばれることはない。別の誰かの、しかし大切な問いに関心が集中し、水中に潜るような、静かな対話の時間が始まる。

みんな大事だと思っていて、みんな考えたいと思っていて、それでいて向き合うことはしない問い。しない、というよりも、できない、と言った方が適切かもしれない。いや、こわい、と言った方がもっといい。はじめる前から萎えている、とも。

「分断という言葉を、もう見飽きてしまいました」

高校生が多く集う場のホワイトボードに、そう書かれていた。誰の字かはわからなかった。他者は、そもそも異なる存在である。そのことを何度だって忘れて、何度だって分断する。それをわかっていて、途方に暮れていて、考えることに疲れている。

まれではあるが「異なる他者と生きるには」で対話をすることも、もちろんある。だが、正直あまりうまくいかない。どこか上滑りするような「いいこと」がぽつりぽつりと出てくるか、それを主張することによって何が言えたことになるのかわからないような議論がぼんやりと交わされる。他者、他者、とわたしたちが言うときは、のっぺらぼうで、すべすべしていて、清潔な匂いがする。

だがしかし、それを語るあなたからは、体温がする。わたしの嫌いな色の靴を履いている。理解できないネックレスをしている。わたしの決して知らない経験を積み重ねている。わたしではない爪のかたちをしている。服からは埃っぽい匂いがして、ぶつかった膝は硬い。

ぼんやりした他者について考えることはできても、あなたと目を合わせるのはこわい。うんざりするようなことも言う。このひといやだなあと思う。

それはまるで、他者がいる、というよりも、あなたがいるという経験だ。

哲学は普遍的な言葉をつかう。それが哲学の強みでもある。他者とは、共生とは、対話とは、そんなことを語れてしまう。抽象化がないと、議論というのは成り立たない。だから大事でもある。しかしそれでも、どこかざらりとした感触が残る。

哲学対話をひらいて、さまざまなひとと集うと、ふと思う。ここには「他者」などいない。「対話」などない。

あなたがいるだけだ。あなたと考え合う、聴き合う、ということがあるだけだ。いま・ここで、それが何かよくわからないままに、生じているということがあるだけだ。

どんなに語ろうとしても、現実がそれを追い越していく。追い越されれば、またそれに追いつこうと言葉を探す。探している途中でまた現実や世界が追い抜いていく。そうやってまた言葉を見つけていく。

異なる誰かと、あなたと、一緒にいることはつらい。ここまで交流することが広がりすぎた現代では「あなた」の幅もとんでもなく広がった。現実世界で会わずに、画面から見つめる相手にもなった。絶えず流れてくる細切れの情報の中に押し込められたあなたは、やっぱりのっぺらぼうで、何を考えているのかわからない。

だが同時に、わたしたちはあまりに互いに目を合わそうとしすぎているのではないかとも思う。真正面から取り組まなければならない、話し合わなければならない、と意気込んでいる。あるいは、こんなひととは関わらなくていい、こんなひとはよくない存在だ、と力んでいる。真剣なにらみ合い。西部劇のようだ。

わたしたちの身体はもろい。精神も。強靭なまなざしに耐えられるのは、誰もいない。

福島県の浪江町で、小学生たち7人と哲学対話をした。「いちばんよわそうなもの」を探してもらい、それはなぜそう思うのか、そしてそれを通して「よわい／つよい」とはどういうことなのかを考えようと、かれらを校庭に誘った。

さまざまなことに飲み込まれた浪江町で、まだ7歳の子どもたちは、跳ね回っている。枯れ葉や、土、砂、破れたビニール、そうした「よわそうなもの」をわたしに手渡してくる。どうして、とわたしが問うと「崩れちゃいそうだから」とか「消えそうだから」と応えてくれる。なるほど、と手のひらの中でそれを確かめる。

わたしの目の前にずっと立っている子どもがいるのに気がつく。ねえ先生、とその子は言った。

「いちばんよわいのは、人間の身体だと思う」

傷ついたら血が出て、すぐにこわれちゃう、とその子は続けてささやいた。そうだ、そのとおり、そうだねえ、としか言うことができない。わたしの身体は寒さを感じていた。方の奥底に痛みを感じていた。あなたの指先は熱くて、体温があった。あなたは生きていた。

あまりにもろく、よわい、わたしたちの身体。そこにぱんぱんに詰まっている、あなたがあなたであること。認識の支配下におくことは決してできず、途方もない何か。あなたがいる、ということだ。他者、という言葉では言い表しきれない、あなたがいるということだ。

それをまっすぐに見つめること。目を合わそうとすること。なんというおそろしさ。おそろしいからこそ、わたしたちは、相手が生きているということを忘れようとする。距離を取り、こちらからの一方的なまなざしの下に、相手を置こうとする。

心が心を求めつつ　濁流に魚は閉じるまぶたを持たず（千種創一）

わたしたちには心がある。魚にはどうだろう。わたしたちには心があるからこそ、まぶたを閉じてしまうのではないか。魚は閉じるまぶたを持たない。だから、濁流の中で、ばらばらのまま、生きることができてしまうのではないか。

哲学対話では、ひとびとは目を伏せている。まぶたが閉じられていることもある。そうすると、耳を使わざるを得なくなる。他の感覚を研ぎ澄まさざるを得なくなる。

わたしたちはこれまで、何を語るか、何が見えるか、そのことに注力してきた。だがそれは、あなたを「他者」

にしてしまうことでもあり、何かにしてしまうことでもある。ふわふわとした浮足立った言葉で語ってしまうことにもなる。だからこそ、語り、見ることだけに夢中になるのをやめ、聴くことをはじめなければならない。対話とは、聴くことだ。

あるいは、目のやりどころとして「問い」がある。せわしなく動き回る眼球を、とどめておくために、問いを見やる。ひとびとと共に考えるとき、わたしたちは問いのもとに集っているような感覚を持つことがある。わたしたちはばらばらだ。だが、同じ木の下に集まるように、問いのもとに集うことはできる。

そこには嫌なやつもいる。がまんならないやつも。でも、そいつの身体もまた、わたしと同じように、殴ったら痛い。引き裂けば血が出る。あっちには行ってほしいが、あちらには逝ってほしくはない。

目を合わせなくてもいい。話さなくてもいい。ただ、一緒に座っている。問いのもとに集って、とにかく一緒にはいる。距離はあっても、一緒に生きている。「他者」という被り物ではなく、あなたとして、共にある。耳はふさぐこともできるが、遠くにいても声は聴こえる。入ってくる。聴こえてしまう。

もしかすると哲学対話でもっとも核心的なのは、共に座る、という部分なのかもしれない。意見が合わなくても、とにかく一緒には座っている。その視野を広げると、この社会もまた、うんざりしながら、あなたと、あなたと、あなたと、あなたと、一緒に座っているとも言える。

そこにわかりやすい「一緒に座る方法」などない。超越的な方法論があったら苦労はしないだろう。いや、あるいは、すでにもう一緒に座っているとも言える。そこに気がつくだけだ。そして、耳を澄ませるだけだ。

ここからようやくはじまる。

**profile**　ふたつぎ・しん

1981年生。音楽ライター。『素人の乱』(松本哉との共編著／河出書房新社)。単著に『しくじるなよ、ルーディ』(ele-king books)。漢 a.k.a. GAMI著『ヒップホップ・ドリーム』(河出書房新社)の企画・構成。『ヒップホップ・アナムネーシス』(山下壮起との共編著／新教出版社)など。

高円寺南口の大通りを北へのばし、早稲田通りへとつなげる道路計画だ。特に大きな波紋を呼んでいるのが、高円寺ローカルの象徴ともいえる庚申通り商店街と純情商店街が計画区域に入る後者。仮に大きな道路や大規模な商業施設が駅前にできれば、両商店街が消滅するだけでなく、周辺地域の家賃が上がり、個人商店の経営に甚大な影響がおよぶことは火を見るより明らかだ。

駅前をどこも同じような無味乾燥な街並みに作りかえることは、端的に多様性や他者性の否定に他ならない。すなわちジェントリフィケーションとはたんなる物理的な建造物の建て替え以上に、人間の自由や存在のあり方に深く立ち入り、ときに侵害してくる根源的問題なのだ。だから、再開発に反対するデモが高円寺に住む自由にたいして鋭敏な感性を持つひとびとによって立ちあげられ、DJやライヴをトラックの荷台でくり広げる創意工夫に富んだ抗議行動になったのはきわめて道理にかなっている。

2018年9月、2019年11月、2022年5月と計3回おこなわれた抗議行動の源泉にまさに集まる自由がある。北中通り商栄会副会長を務め、「素人の乱 5号店」(リサイクル・ショップ)と「マヌケ宿泊所」(ゲストハウス)を営む松本哉はずばり言う。「コロナでどこにも行くところのなくなった高円寺のヒマ人たちがそこら中で呑んで交流しまくって仲良くなったのが、再開発反対デモの盛り上がりにつながった」。また、「マヌケ宿泊所」から徒歩5分ほどの場所にあり、多彩なレコードや本を置くカフェ「SUB STORE」の久実さんは「高円寺は村っぽいというか、助け合いで成り立っている町だと思う」と話し、彼女とともにお店を営むアンディは「レコードもできるだけ安く売りたい。物を高く売るよりお店をとおしてコミュニティを作ることの方が大事だから」と明確な理念を語る。

高円寺の集まる自由は彼、彼女らのようなひとびとの場所づくりのための日々の努力に支えられている。そこにはとうぜん杉並区の住民票や選挙権を持たないひともいるだろうし、思想信条が異なる者同士の利害に集約されない関係もあるだろう。そうした混沌の経験こそが集まる意義であり、その自由が保たれる場で生まれる創造性や知性がいま最も必要とされているのだ。

Special thanks to SUB STORE, 素人の乱

*column*

# 再開発に反対する
# カルチャーの街・高円寺

文：二木信

私はかれこれ20年ほど東京の中野という地域に住んでいるが、近所の高円寺（杉並区）に行くといつも強く感じるのが、人が集まることの意義だ。一部にはサブ・カルチャーの町という印象もある高円寺だが、じっさいに私の仲間や友だち、知り合いが営む飲み屋や古着屋、レコード屋といった個人商店もあり、店内に入ることもあるし、店の近くの路地や道などにいい歳をした大人から若者までがなんとなくたむろすることもある。べつに特別なことはない。缶ビールやコーヒーを飲みながら他愛もない話で盛り上がったり、労働の愚痴をこぼしたり、たまに政治や社会の話題で熱くなったりしているだけである。しかしそうした何気ない時間が重要だ。

ただし、なんとなく集まるのが楽しいですねという呑気な話ではない。たいしてお金を使わずに集まれることは、特別な富裕層でもないごく普通の庶民にとっては生きるために必要不可欠な日常のルーティンなのだ。なぜなら、集まって他愛もないバカ話をすることで無慈悲な資本主義社会を生きる日々のストレスを笑い飛ばしつつ、同時にさまざまな他者と出会い、情報を交換し、知恵を分け合い、ものを考える契機と生きる活力を得ているからに他ならない。そんなのんびり集まる自由が高円寺の最大の魅力のひとつであり、私の知る高円寺住民はそうした自由を愛している。ところが、その自由がいま脅かされている。高円寺駅前の道路計画と再開発問題だ。

現在、東京各地で大規模な再開発が急ピッチで進み、次々と新しい高層ビルが出現している。まるで迷路のような渋谷駅やその周辺などは最たる例だ。そもそも、都市の大規模な再開発は、東京や日本にかぎらない世界的な現象で、長いあいだその是非が議論されてきている。新たに大企業を誘致することによる経済成長や治安の強化の観点から推進される一方、再開発による「都市の高級化」や「都市の富裕化現象」あるいは「階級浄化」とも訳されるジェントリフィケーションは常に論議の的であり、それにたいする住民の反対運動も起きてきた。家賃の高騰やそれにともなう地域コミュニティの破壊、経済格差の拡大という深刻な問題を引き起こすからだ。

杉並区もそんなジェントリフィケーションと無縁ではない。現在、岸本区長のもとで再検討されている杉並区の都市計画道路／再開発は高円寺にかぎると具体的にふたつある。ひとつは高円寺駅と中野駅のあいだの道路の拡幅工事。そしてもうひとつが、

an interview with **Kojin Karatani**

# 希望がないように見える時にこそ、「中断された未成のもの」として希望が、向こうからやって来るんです。

## ——柄谷行人 インタヴュー

（取材：土田修、写真：小原泰広）

希望とは未来に向けて意識的に望むことではありません。それは希望がまったくありえないような時点で、見出されるものです。希望がないように見える時にこそ、「中断された未成のもの」として希望が、向こうからやって来るんです。

**profile** からたに・こうじん

思想家。1941年生まれ。東京大学経済学部卒。69年、夏目漱石論でデビューし、以降文芸批評の世界を一新した。20世紀の末に提起した「交換様式」にもとづく『資本論』の斬新な解釈は、世界でも注目を浴びてきた。2022年12月、アジアで初めて「バーグルエン哲学・文化賞」（賞金100万米ドル）を受賞。著書に『世界史の構造』『哲学の起源』『力と交換様式』他多数。法政大学教授、イェール大学教授、コロンビア大学教授他を歴任。

10世紀から13世紀のアイスランドが興味深い。ここには独立自営農民による自治的社会がありました。君主も中央政府も軍隊もなく、すべてが農民の集会によって決定され、階級的不平等や支配が存在しませんでした。

エンゲルスも上部構造の相対的独立性を認めていましたし、現在では、むしろそれが主流です。しかし、これでは、ホッブズやマルクスが見出した国家や貨幣の「霊的な力」が見失われてしまうほかない。それらは「交換様式」から見ないと、見えないからです。

脱成長は、いいことです。ただ、一般にそれを掲げている人たちは、国家や資本、つまり政治やビジネスの力で、脱成長に向かおうとする。それは、斎藤さんも批判している通りです。しかし、Dはそういう形では出てこないのです。

90年代にソ連圏の崩壊が起きたときに、「歴史の終焉」(フランシス・フクヤマ)という言葉が広がった。そして、アメリカの自由民主主義が全面的に勝利したと考えられた。しかし、私は違うと思った。そこに見るべきものは、「歴史の反復」だと思った。つまり、新自由主義＝新帝国主義の出現です。

アメリカでは、トランプ前大統領の支持者が大統領選挙の不正を訴えたり、国会議事堂乱入事件が起きるなど分断が深刻化し「民主主義の危機」が叫ばれた。そんな状況下で古代ギリシャ時代にイオニアで始まったイソノミア（無支配）の原理に注目した柄谷氏の思想が評価されている。一方、世界の歴史を交換様式の観点で再構築した柄谷氏は、現代世界をアメリカの衰退によって中国、ロシア、インドなど新興諸国によるヘゲモニー争いが激化する時代と分析。第一次世界大戦が偶発的に始まったように、世界戦争の危機が迫っていると指摘する。そして、コロナ禍、ウクライナ戦争と混乱が続き、希望がない時代だからこそ、「D（理想の社会）が必ず到来する」と語った。

## 民主主義の危機とイソノミア

――アメリカの週刊誌「ザ・ニューヨーカー」は2022年9月12日号で、「民主主義は最悪の政治形態である。これまでに試みられた民主主義以外の全ての政治形態を除いて」という有名なチャーチルの言葉を冒頭で紹介した長文記事を掲載しました。この記事は柄谷さんがイソノミアによってデモクラシー（民主主義）を偽りの偶像として暴露したことを評価し、そこに「民主主義再生の手がかり」を見出そうとしています。

つぎに、それから間もなく、柄谷さんは、「哲学のノーベル賞」として設立された「バーグル

**エン哲学・文化賞」の2022年の受賞者に内定し、正式な発表が12月にありました。このように、今、柄谷さんの思想が、現在の危機的世界に新しい視座を提供するものとして、広く注目を浴びているように思われます。今日は、それについて、お伺いしたいと思います。先ず、イソノミアについて。**

**柄谷**　確かに、「ニューヨーカー」という雑誌では、私の『哲学の起源』（岩波書店、2012年、英語版では *Isonomia and the Origins of Philosophy*, Duke University Press, 2017.）を高く評価しているようです。簡単にいうと、政治現象としてのイソノミア〔注1〕は独立自営の農業や商工業の発展とともに、古代ギリシャにおいて生まれた考えですが、実際は、アテネのような都市国家ではなく、今はトルコなどに位置する周辺のイオニア地域に生まれたものです。アテネやスパルタなどギリシャ本土のポリスでは氏族社会的な伝統と門閥支配が残っていましたが、イオニアの諸都市は植民者たちによって形成されたために、氏族社会的な拘束から離れており、大土地所有者もいなかった。

一方、アテネのデモクラシーは、市民に限定されたものです。それは、僭主政の後に成立した、「デモス（民衆）」による「クラシー（支配）」があり、「イソノミア（無支配）」はありません。そこでは、外国人は議会に参加できない。市民は全人口の10分の1ぐらいだった。たとえば、アリストテレスは外来者ですから、市民ではなかった。市民は土地を持つ農民でしたが、国政に参加するため労働を奴隷に任せていました。ゆえに、市民であるためには奴隷が必要でした。

ソクラテスは市民でしたが、ある日、ダイモン（精霊）にいわれて、議会に行かず、広場に

※以下の注は全て取材者によるものです。

**注1　イソノミア**：柄谷氏によれば、市民を支配者と被支配者に分化しないで無支配関係（ノー・ルール）のもとで集団生活を送っているような政治組織を意味する。もしあるポリスに不平等や支配－被支配関係が生まれたならば、人は別の場所に移動すればよかった。イソノミアは根本的に「遊動性」を前提している。これに対し、アテネのデモクラシーは他のポリスを支配し収奪することに依存しており、帝国主義的な拡張こそがアテネ民主政の基盤となっていた。こうしてデモクラシーの確立は奴隷制の発展につながった。

行くようになった。つまり、市民でないような人たちと一対一の討議をするようになった。その結果として、最終的に処刑されることになったのです。そのことはよく知られています。しかし、ソクラテスの「哲学」が、どこから来るか、そして、それがデモクラシーとどう関わるのかは、よく考えられていません。

イソノミア（無支配）とはハンナ・アーレントが言っているように、自由であることが平等であるような社会の原理です。デモクラシーが現在の議会制民主主義につながっているとすれば、イオニアのイソノミアは危機に陥っている民主主義を真に再生させるような、新たな政治システムを考える鍵になるでしょう。

くりかえすと、アテネでは、市民とは公人として国事に参与する者のことです。外国人、女性、奴隷といった公人になりえない者は非政治的な存在です。だから、市民は少数です。それに対して、ソクラテスは公人になることなく、政治的に「正義のために戦う」という姿勢を取り続けました。彼は、ある夜、ダイモンに「民会に行かずにアゴラ（広場）に行け」と言われ、以来、広場で誰彼となく市民に話しかけ問答に巻き込んだ。彼は自分の意志でそうしたわけではない。ダイモンに言われたから、そうしたのです。その結果、ソクラテスはポリスが認める神を信じず、若者たちを堕落させたとして裁判にかけられ、死刑に処されました。ある意味で、彼はイエスと似ています。

**――イソノミアは民主主義を見直す鍵になる原理ですね。刺激的な話です。そのイソノミアがイオニア以外に世界の歴史の中で姿を見せた例はあるのでしょうか？**

**柄谷**　イオニアの諸都市がどのようなものであったのかを示す史料は、ほとんどありません。ただそれを推測する手がかりが二つあります。一つは18世紀、北アメリカに形成されたタウンシップです。こちらも旧社会からアメリカに渡った植民者たちが作ったタウンです。それはイオニアに似た共同体です。それが北アメリカの各地にあったんです。私の本を読むと、アメリカの古典的なタウンシップが非常に魅力的に見えるわけですね。「ニューヨーカー」誌の人たちが感じたように。「アメリカの未来の可能性は、過去のアメリカにある」ということですからね。

もう一つの例として、10世紀から13世紀のアイスランドが興味深い。ここには独立自営農民による自治的社会がありました。君主も中央政府も軍隊もなく、すべてが農民の集会によって決定され、階級的不平等や支配が存在しませんでした。どうしてこうした社会が生まれたのかというと、アイスランドは9世紀から10世紀にかけてノルウェーからの移民によって形成されたからです。ノルウェーはヴァイキングが作った侵略主義的な国でしたから、それを否定した植民者たちが社会契約によって形成したのがアイスランドだったんです。

その意味で、私はアイスランドのことをすごく評価したわけです。だから、アイスランドの人たちが私の本を読んで反応してくれるかと思ったんですけど、残念ながら、まだ誰も読んでいないようですね。ついでにいうと、日本でも、この『哲学の起源』への反響はあまりなかったですね。例外は、元タイガースの沢田研二が歌った「イソノミア」ですが、それに気づいた人は少ないでしょう。実は、私も、彼がどういう経緯で「イソノミア、無支配」と歌ったのかは、よくわからないのですが(笑)。

## 交換様式と霊的な力

**柄谷**　『哲学の起源』は、『世界史の構造』を出して間もなく始めた連載をまとめたものですが、それからすでに十年以上たっています。私は今秋『力と交換様式』という本を出しました。これは『世界史の構造』の続編であり、そこで展開された交換様式論の抜本的な再考です。ですから、「ニューヨーカー」の筆者や、バーグルエンの審査委員たちは、私を評価してくれてはいるが、私の現在の仕事についてはまったく知らないわけです。『力と交換様式』は、日本で10月に出たばかりで、まだ英訳されていませんから。

だから、これまでの私の仕事への評価についてては有り難く思いますが、今は、その時とは、少し違った境地にあるということを見てもらいたいとも思います。これから英語を始めとする諸言語に訳されるから、遠からず読んでもらえるとは思いますけれど。

**――2022年10月に出版された『力と交換様式』(岩波書店)は、『トランスクリティーク』(岩波書店、2001年)、『世界史の構造』(同、2010年)に続く、「交換様式」論の体系的集大成ともいえる著作ですね。あらためて伺いたいのは、交換様式という考えは、いつ、いかにして、出てきたのかということです。マルクス主義では、「生産力と生産様式」という考えが普通ですが、交換様式という概念はないし、交換から生じる「力」という考えはありません。**

**柄谷**　こういったことを考えるようになったきっかけは、私が1960年に入った東京大学の教養部（駒場）にいたとき、安保闘争に参加しつつ、毎日『資本論』と宇野弘蔵（マルクス経済学者）の『経済原論』を読んだことにあります。マルクスは『資本論』で、物と物の交換によって成立する「価値形態」に注目した。そこから、貨幣という物神(フェティシュ)が生じる、というのです。そのことは、経済学者も哲学者もたんなる比喩として片づけてきたのですが、私はそれにこだわった。いわば、そこにダイモン(霊)の働き、その力を見出した、ということです。

本郷の経済学部に進んでからは、『資本論』を要約した鈴木鴻一郎教授の『経済学原理』を読みました。資本の発展とともに、資本物神の支配が完成する。そうした商品から株式資本にいたるまでの発展についてよく書かれていました。それを何度も読むだけでなく、全部覚えた。というのは、試験の問題が、毎年、「資本の生産過程」「資本の流通過程」「資本家的生産の総過程」の三つの中から、一つ出ることになっていたのですが、どれが出るかわからないから、全部覚えるほかない。友人の西部邁(評論家、経済学者)は、全過程を書いた紙を天井に貼って寝転んで覚えたといっていました。そんな勉強の仕方があるんだね(笑)。いずれにせよ、彼も私も、講義には出ていません。試験の結果次第で、単位をとれたんです。

しかし、経済学部では、大学院に行っても、いくらやっても、新しい認識は出てこないだろうと思いました。それで、大学院は英文科に進んだ。フランス語でサルトルなどを読んでいたので、本当は仏文科に行きたかったのですが、学部の卒論提出が必要だといわれたのであきらめました。しかし、英文科に行っても、英文学者になる気はなかった。結果的に、文芸批評をやるようになったのです。1969年に「群像新人賞」をもらって、批評家になった。ところが、1974年に「群像」で『マルクスその可能性の中心』を連載するようになった。

その時点で、昔考えていた『資本論』の問題を再考したのです。そのとき、経済学の問題を、言語論と結びつけて考えた。つまり、シニフィアン（意味するもの）とシニフィエ（意味されるもの）というソシュール（スイスの言語学者）の言語論を使って価値形態を捉え直し、「交換」を言語的な次元で理解しようとしたわけです。

**――学生時代に「群像」で『マルクスその可能性の中心』を読ませてもらい、言語的交換（コミュニケーション）による解釈の斬新さに驚きました。あれは宇野派経済学からは絶対に出てこない発想じゃないでしょうか？**

**柄谷** もちろんです。マルクスとソシュールを結びつけて考えたのは、世界的にも、私が初めてでしょう。私は、宇野弘蔵の価値形態論にもとづくとともに、そこからは絶対に出てこないような発想にもとづいていた。これはむしろ、文学批評から出てきた認識だと思います。

その後、1975年にアメリカのイェール大学日本文学科の客員教授として招かれ、そこでポール・ド・マン（アメリカの文学理論家、文学者）と知り合いました。彼に言われて、『マルクスその可能性の中心』を短縮したような論文を英語で書いて、高く評価された。同時に、私のほうもド・マンの影響を受けました。また、そのころ、ド・マンに、フランスから来ていたジャック・デリダ（フランスの哲学者）を紹介されましたが、ド・マンの本やデリダの『グラマトロジーについて』を読んだ影響も、かなりありましたね。そうした中で、マルクスの「貨幣物神」という謎めいた問題は、言語論的に解けるんじゃないかと考えたわけです。

近年では、それを交換様式という観点から再考するようになったといえます。交換様式には、A（互酬交換）、B（服従と保護）、C（商品交換）、そしてDという、四つのタイプがあ

基礎的な交換様式

| B　服従と保護（略取と再分配） | A　互酬（贈与と返礼） |
|---|---|
| C　商品交換（貨幣と商品） | D　X |

りますが、先ず三つを見ます〔コラム記事参照〕。どんな社会構成体もA・B・Cという三つの交換様式の接合によって成り立っているといえるのです。

交換様式Aは、人類の未開段階からあり、今も残っているものです。それは、贈与とお返しという交換にある。たとえば、お中元やお歳暮のやりとりとか、親が子を育て成人した子が親孝行するというような慣習は、交換様式Aです。それに対して、交換様式Bは、一見す

*column*

## 交換様式

柄谷氏が『世界史の構造』の中で交換様式には4つの形態があると指摘している。マルクスが『資本論』で注目したのは「共同体と他の共同体と接する点に始まる」商品交換であり、これを柄谷氏は「交換様式C」と呼んだ。同時に、未開社会（氏族社会）にあった「贈与＝お返し」という互酬交換を「交換様式A」と呼び、国家社会の誕生で中心的となった「支配 - 被支配」「服従と保護」の関係を「交換様式B」と呼んでいる。A・B・Cは別個に存在するのではなく、社会構成体はそれらが結合することによって作られている。

A・B・Cのいずれも人を強制する観念的な「力」をもたらし、それらは「交換」から生じるという。「交換様式D」は交換様式ABCを否定し止揚するような「衝迫（ドライブ）」としてあるもので、観念的・宗教的な「力」として現れる。マルクスは商品と商品の交換から貨幣や資本といった「物神（フェティッシュ）」が成立すると考えた。マルクスが『資本論』で提示したのは貨幣物神、資本物神という観念的な「力」であり、晩年のマルクスは「交換様式A」を「古代社会」に見出した。柄谷氏によると、マルクスは未来の共産主義を「交換様式A」の〝高次元での回復〟、すなわち「交換様式D」であると考えていた。個人が平等で独立性を持つアソシエーションやイソノミアを実現したアイスランドにも「交換様式A」の〝高次元での回復〟が見られるという。

（土田修）

ると、交換に見えないような交換です。しかし、それによって国家権力が成立する。権力は暴力とは違います。確かに国家は暴力に依拠していますが、暴力だけでは長続きしません。支配者は被支配者を保護しないといけないのです。また、収奪した分をある程度、再分配しなければならない。つまり、交換様式Bは、服従と保護の交換です。国家の「力」はそこに生じる。ゆえに、暴力とは別です。つぎに、交換様式Cは、誰でも知っているような商品交換です。そこから、貨幣や資本が出現した。

ところで、近代社会になると、交換様式Cが支配的になるのですが、BもAも残ります。もちろん、以前とは形を変えてですが。たとえば、Aの場合、それまでの村共同体から、「想像の共同体」（ネーション）となる。そして、それらが、互いに助けあうことになる。いいかえれば、A・B・Cが結合されることによって、資本＝ネーション＝国家となるわけです。

**――『世界史の構造』で柄谷さんは政治的・イデオロギー的上部構造が経済的下部構造である「生産様式」（生産力と生産関係）によって規定されるとするマルクス主義の「史的唯物論」を批判的に検討していました。マルクス主義ではなく、『資本論』に依拠して世界史を交換様式からくる「観念的な力」によって再考する作業だったのではないかと思います。さらに、それが新著の『力と交換様式』では、交換様式から生じる「観念的な力」とは「霊的な力」であるとお書きになっています。この変化はどのようなところから生じたのでしょうか？**

**柄谷**　たとえば、私は、ネーション＝ステート（国民国家）と言われているものは、資本＝ネーション＝国家〔注2〕として見るべきだと言ってきました。この三つは「ボロメオの環〔注3〕」のように緊密につながって互いを支え合っているので、国家や資本を揚棄することは極め

**注2　資本＝ネーション＝国家**：柄谷氏によると、ネーション＝ステートはネーション（国民）とステート（国家）という異質なものの結合であり、交換様式Aの下に、資本＝ネーション＝国家という

て困難です。国家によって資本を抑えることはできたとしても、今度は国家を抑えることができなくなる。交換様式BやCの力を抑えるためには、Dが不可欠です。そして、DとはAの〝高次元での回復〟です。いいかえれば、私は、共産主義とは、互酬的交換を〝高次元で回復する〟ことだと考えている。そもそも富の格差が生じないような社会システムを実現することですから。しかし、問題は、Dが、人間の意志・意向を越えてあるということです。

　マルクスは『資本論』で交換様式Cから生じる力（物神）を論じましたが、そのとき、彼が参照したのは、国家を交換様式Bから生じる怪獣（レヴァイアサン）としてとらえたホッブズです。つまり、国家は、貨幣や資本と同様に、交換様式から来る霊的な力にもとづくものです。しかし、マルクスはこのことを、十分に考えなかった。当時、差し迫った革命運動に戻ってしまったのです。同時に、『資本論』を未完のままにして、以前の「史的唯物論」の考えに戻ってしまった。

　とはいえ、革命運動が挫折したあと、晩年のマルクスは、モルガンの『古代社会』に詳細な注釈を書いた。これは、いわば、交換様式Aについて考えることであり、未来の共産主義を「Aの高次元での回復」として見ることです。しかし、マルクスの死後、そのような交換様式の観点はなくなり、もっぱら、「生産力と生産関係」から見るようになった。むろん、「経済決定論」を斥け、「政治的・観念的上部構造」を重視する見方もあった。エンゲルスも上部構造の相対的独立性を認めていましたし、現在では、むしろそれが主流です。しかし、これでは、ホッブズやマルクスが見出した国家や貨幣の「霊的な力」が見失われてしまうほかない。それらは「交換様式」から見ないと、見えないからです。

かたちをとっている。ネーションは市民革命によって絶対王権が倒され、個々人が「自由と平等」を獲得した時に出現した。それは資本＝国家の支配の下で解体されつつあった共同体（交換様式A）を想像的に回復する形で現れた。そこでは交換様式C・A・Bが相互に助け合いつつ存続していることからネーション、国家、資本は執拗に存続するという。

**注3　ボロメオの環**：三つの輪がお互いに重なり合うように結び合わさっている「三位一体」の状態のこと。フランスの精神分析家ジャック・ラカンは現実界・想像界・象徴界の三つの世界をボロメオの環にたとえた。柄谷氏は『トランスクリティーク』の中で、科学認識・道徳・芸術を対象としたエマニュエル・カントの三つの批判（『純粋理性批判』『実践理性批判』『判断力批判』）が「ボロメオの環」となって構造的リングをなしていると述べている。

私はすでに、『世界史の構造』や『哲学の起源』で、以上のことを論じています。しかし、Dについては不十分だったと思います。だから、その後、「D」について考え、「Dの研究」という論文を連載したのですが、うまくいかなかった。それで、心身ともに疲労の極みに達したのです。その中で、2019年秋にアメリカのイェール大学へ講演に行きました。その準備をしていたときから、ド・マンやデリダについて考えていたのですが、現場に行ってみて驚いた。私が講演した教室に、ド・マンの写真がかかげられていたからです。もちろん、多くの歴代教授の写真の中の一つですから、普通なら意識しないでしょう。

さらに帰国後、ふとデリダの『マルクスの亡霊たち』(1993年)を読み直したんです。マルクスは『共産党宣言』の冒頭で「共産主義という亡霊」について書いていますが、デリダによればマルクスは生涯、多くの「亡霊」とともにあったというのです。共産主義、神、貨幣・資本などの霊です。つまり、それらは、それぞれ異なった霊的な「力」なのです。デリダはそれを区別しなかった。それは、交換様式という観点がなかったからです。ただある意味で、その後私に、仕事をやる「力」を与えてくれたのは、デリダの亡霊かもしれない、と今は思います。

Dについて考えることは、キリスト教であれ、仏教であれ、宗教的な領域に共通してある問題を考えることです。私はこれまで、そのことについては十分に言及してこなかった。しかし、実は、ここ5、6年前から、アメリカ、ドイツ、フランスなどの「神学科」から、講演の依頼を受けるようになったのです。それは、彼らが、私の考えに、「神学」と共通するものを感じているからではないか、と思います。

## ■Aを回復させるアソシエーション

――柄谷さんは2022年7月3日に東京大学駒場キャンパスで開催された講演会で、基調講演をなさっています。講演内容は「文学界」10月号に再録されましたが、コメンテーター役の斎藤幸平さん(経済思想家)が『人新世の「資本論」』は柄谷さんの仕事と重なる」とした上で、自らが提唱している「脱成長コミュニズム[注4]」によって交換様式Dへの跳躍が可能になるのではないか？　脱成長の議論をどう思っているのか？　という質問をしています。これに対して柄谷さんは正面からお答えになっていないようでしたが？

**柄谷**　脱成長は、いいことです。ただ、一般にそれを掲げている人たちは、国家や資本、つまり政治やビジネスの力で、脱成長に向かおうとする。それは、斎藤さんも批判している通りです。しかし、Dはそういう形では出てこないのです。Dについては、むしろ神学者の方がわかっていると思います。ただ神学者たちは、実際の政治経済については、無頓着、無知であることが多く、それはそれで問題ですが。

――アソシエーションや協同組合といった平等と相互扶助の原則に従った自発的な取り組みや経済システムの中に交換様式Dの可能性はありませんか？

**柄谷**　新自由主義という交換様式Cが徹底的に浸透した現在の社会にあっても、協同組合やアソシエーションは相互扶助的な活動＝Aを回復させているといってもいいと思います。むろん、それはDとは別です。しかし、Aの回復で十分だ、と私は思います。

私自身、資本と国家に対抗する運動体として「ニュー・アソシエーショニスト運動(NA

注4　**脱成長コミュニズム**：斎藤幸平氏は、従来のマルクス主義の「生産力至上主義」を批判し、人類が環境危機を乗り切り、持続可能で公正な社会を実現するための選択肢として脱成長コミュニズムを提唱した。晩期マルクスは資本主義によって解体されたコモン(公共財産)を再建するものとして平等で持続可能な脱成長型経済を構想していたという。

M）〔注5〕」を提唱したことがあります。一時期、運動には700人の会員が参加しました。私が友人たちとNAMを始めた時、運動を大きくしようとは思っていなかった。大きくしようとすると権力闘争になるから。実際、NAMもメンバーの対立が生じたことが解散の原因になりました。そうなると、会員が自由な個人に戻って、あらためてアソシエーションを作ることから始めるほかない。だから、ある地点でパッとやめました。ひとまず、さまざまな地域運動がアソシエーションとして成長したのちに、あらためて「アソシエーションのアソシエーション」としてNAMを結成すればよいと思ったのです。

国家や資本、つまりBやCを揚棄することはできません。揚棄しようとすることで、それらを回復させてしまうからです。唯一可能なのは、Aに基づく社会を作ることです。しかし、それはBやCに抑え込まれて広がることができないので、ローカルなものにとどまります。それ以上になるのは、高次元でのAの回復、つまりDの力によるしかありません。それまでは、それぞれのアソシエーションを築き、連合していけばよい。一方、Dは人間の計画や願望によってできることではありません。

**――近代日本において、Aを回復することを目指した人として、どういう人がいますか。**

**柄谷**　例えば、柳田國男(民俗学者)がいます。彼は大学時代にイギリスの協同組合を研究し、農商務省の官僚の時に協同組合の政策を考えていました。明治33（1908）年に宮崎県椎葉村に視察に行き、そこで焼畑農民の社会を見て感銘を受けた。いわば、そこに、互酬交換Aが生きていたからです。柳田はそこに「社会主義」を見たんですね。彼は、遊動民(ノマド)社会の相互扶助的な伝統を協同組合として回復することができると考えたのでしょう。

**注5　ニュー・アソシエーショニスト運動(NAM)**：2000年に柄谷氏が提唱した資本＝ネーション＝国家への対抗運動。資本主義社会内部での運動と、非資本主義的な経済圏を創出する、その外に出る運動のアソシエート(結合)をめざし、政治・社会的領域のアソシエーション活動と地域通貨の創出を重視した。

本人がそう思っていないにもかかわらず、柳田と同じことをやっていた学者がいます。宇沢弘文(経済学者)です。彼は「社会的共通資本」ということを言った人ですが、それはコモンズ(commons)を翻訳した言葉です。農業コモンズを想定して自然資本を分析している。宇沢は、彼自身、そうとは知らずに、柳田の農政学を受け継いでいたのです。交換様式Cが徹底的に浸透した新自由主義の社会にあって、協同組合は相互扶助的な活動、つまりAを回復させているのではないか。その意味で、それはたんにAというよりも、BやCを超える何か、つまり、Dを志向するものだともいえます。

## 歴史の反復と世界大戦

**柄谷** 90年代にソ連圏の崩壊が起きたときに、「歴史の終焉」(フランシス・フクヤマ)という言葉が広がった。そして、アメリカの自由民主主義が全面的に勝利したと考えられた。しかし、私は違うと思った。そこに見るべきものは、「歴史の反復」だと思った。つまり、新自由主義=新帝国主義の出現です。

「歴史の反復」というのは、だいたい60年周期(コンドラチェフが唱えた資本の景気循環の周期がもとになっています)、そしてその倍の120年周期です。これに関して、私は歴史学者のウォーラーステインから多くの示唆を受けました。これまで歴史上に現れたヘゲモニー国家はオランダ、イギリス、アメリカの3カ国ですが、一つのヘゲモニー国家が存続するのは60年くらいです。それが衰退しヘゲモニー国家不在の時期が60年ほど続きます。多数の国が次のヘゲモニーの座をめぐって争う状態です。合わせて120年です。

17世紀にヘゲモニー国家であった時期のオランダは、自由主義的で政治的にも共和制でした。アムステルダムは、デカルトやロックが亡命し思索を続けた、自由な気風の都市でした。これは、19世紀にヘゲモニー国家となった時期のロンドンにマルクスが亡命していたのと似ています。オランダが没落し新たなヘゲモニーの座を争う時代がありましたが、これを宇野弘蔵は重商主義段階と呼びました。私に言わせれば、これは帝国主義的な時代です。ヘゲモニー国家不在の時代ですから。

イギリスはナポレオン戦争でフランスに勝利し、1810年以降にヘゲモニーを確立した。イギリスの自由主義はそのとき始まったといえます。マルクスが大英図書館で『資本論』を書いたのは、イギリスを通じて世界資本主義を見ることが可能であったこの時期です。その後、イギリスは衰退し、アメリカがヘゲモニー国家になったのが、第一次大戦以降です。つぎに、アメリカの産業資本の衰退は1980年代に顕著になり、90年ごろのソ連圏の崩壊をへて世界中に〝帝国主義〟が復活しました。それが新自由主義=新帝国主義の時代です。資本=国家は遠慮なしに労働運動を抑圧し、社会福祉を削減しはじめました。各国で資本の独裁ができあがった。

しかし、私が60年周期について、「本当にそうなんだなあ」と実感するようになったのは、2010年代になってからですね。〝新帝国主義〟の時代は、ヘゲモニーの座をめぐって争いが起きる時期です。私は1990年代に、新たな世界戦争の危機が今後に迫っていると言いました。人々は皆、ソ連圏崩壊のことばかり考えていましたが、それ以前に、アメリカのヘゲモニーも完全になくなっていたんですよ。アメリカは、80年代に〝新自由主義〟を唱えましたが、先にも言ったように、実は、〝新帝国主義〟だったといっていい。

この時期、交換様式Cの浸透によって、人間と人間の関係が歪められ、それによって資本＝ネーション＝国家の間の対立と敵愾心があおられ、軍備拡張や軍事同盟締結といった各国の対応によって世界戦争が偶発的に起きる蓋然性が高まった。第一次世界大戦の前と似た状況です。その意味で、歴史は繰り返す。ゆえに、「歴史の終焉」は虚偽です。それだけでなく、交換様式Cの浸透によって、人間と自然の関係も変わってしまいました。別の言葉でいえば、環境危機が深刻化した。今後に、そのような危機が複合してあらわれるでしょう。

**――世界戦争の発端が、ウクライナ戦争によって現実に起きようとしているわけですね。フランスの家族人類学者エマニュエル・トッドは自著『第三次世界大戦はもう始まっている』（文春新書、2022年）で、ウクライナ戦争は事実上の米露の軍事衝突であり、世界大戦の始まりであると言っていますね？**

**柄谷**　トッドは、私とは別の理論的根拠によって、そう言っているんですよ。つまり、交換様式ではなく、家族形態から、世界

史を展望している。それについては、別に考えたいと思っていますが、私が先ずトッドから感じたのは、むしろフランスの変化ですね。たとえば、トッド自身がフランスでは受け入れられなくなっている。受け入れられないのは、トッドだけではない。以前、世界的な影響力をもっていたフランスの思想家たちが全部消えてしまった。サルトルもそうですが、デリダだとかフーコー、レヴィ＝ストロース、ドゥルーズらがフランスで忘れ去られている。

フランスの思想は、冷戦時代の世界では、米ソの二元的支配の中で、そこから外れた「第三の道」としてあった、と思います。フランスのドゴール主義は「第三の道」を進み、サルトルの実存主義も「第三の道」といわれた。その後、米ソの二項対立を自壊させようとする考えが出てきました。たとえば、デリダの脱構築（ディコンストラクション）〔注6〕がそのようなものです。フランスは、第二次大戦後の世界を脱構築するような位置にあったわけです。少なくとも知識人の世界では。経済政治的な力はなくても、フランスの力はそこから来ていたわけです。ところが、フランス思想は、ユーロを採用した頃から決定的に力を失ったようです。

本当にフランスが知的に輝いていたのは、フランスが二つの世界の中心に属さない、第三の場にあった時期です。その時期は、ある意味で、政治・経済的には弱かったフランスが、思想において世界を動かしていたといえます。たとえば、デリダが脱構築というのは、construction（構造）を壊すのではなく、つまりdestractionするのではなしに、それを根本的に変えてしまうde-constructionという発想ですね。その意味で、フランスの現代思想はdéconstructionの立場にあったといえます。それが、サルトルからドゥルーズ、フーコーに

注6　**脱構築**：déconstructionの訳語。伝統的な西洋哲学において前提とされてきた階層的な二項対立に疑いの目を向け、その枠組み（構造）を揺るがせることで新たな構築を試みる哲学的思考方法。ジャック・デリダがマルティン・ハイデガーの思索を継承して提唱した。美学や人文・社会学などに応用され、有力な批評理論の一つになっている。

いたるフランスの思想が果たした役割だったと思う。でもそれが終わった。トッドもフランス思想のそうした背景の下でやってきた人だと思うんですよ。しかし、それが終ってしまった以上、事実上、彼は今のフランスから追放されたようなものです。

**――確かにトッドはフランスではなく、主に日本に向けて書いていますね。**

## 多摩丘陵散策と柳田國男

**柄谷**　コロナの感染拡大による規制のため、海外どころか国内の旅行にも行けなくなったことから、ここ数年私は、近所の多摩丘陵を毎日散歩するようになりました。そこで鎌倉時代に、幕府のあった鎌倉と関東各地を結んだ鎌倉街道について考えるようになった。鎌倉街道には上道（かみつみち）・中道（なかつみち）・下道（しもつみち）と呼ばれる、幹線道がありました。旧鎌倉街道は、徳川幕府にとって邪魔だったのではないかと思います。徳川幕府は江戸に作られた。江戸城が中心なので参勤交代で全国の大名を江戸に来させたわけでしょ。こんな圧倒的な権力は、世界史的にないですよ。秦の始皇帝だって、そんなことはできなかった。毎年ですからね。そんなことを命じたら、必ず反乱が起きますからね。

江戸時代にも、幕府を目の敵にしている人たちがいたはずです。それが、徳川幕府が崩壊することで、表に出てきたのだと思います。たとえば、明治時代にあった、自由民権運動は、旧鎌倉街道の、現在の町田あたりから出てきた。先ほどお話しした柳田國男は、そういうところに注目したんじゃないかな。その頃、世田谷の成城に住んでいた柳田は、現在の町田市から南多摩郡に当たる丘陵地帯を毎週のように歩いて調査していたそうです。

それに関連していうと、埼玉は、近年〝ダサイタマ〟とか言ってバカにされています。しかし、江戸時代より前は、江戸よりもこちらのほうが中心だった。鎌倉から見ると、江戸なんて沼地のようなものですから。田山花袋は明治20年代の道玄坂の描写をしていますが、それはまさに田園の風景でした。私自身が東京に来たとき、最初三鷹寮に入ったので、三鷹に住んだのですが、そのような感じが多少ありましたね。まだ田園の雰囲気でした。しかし、その後、まもなく、東大駒場寮に移った。渋谷が近かったので、よく歩いて行ったのですが、私が見た道玄坂は、すでにストリップ劇場があるような繁華街でした。しかしその坂道は、明治20年の田山花袋の時代には、たんなる田園ではなく、むしろ、鎌倉街道の一角であったわけです。

**――柳田がこの辺を歩いたというのは記録が残っているのでしょうか?**

**柄谷** 『先祖の話』の冒頭に、この辺りをよく歩いていた、ということが書いてあります。ただ、何のためだったかは書いていない。そもそも、多摩丘陵で何をやろうとしたのかがわからない。調査をしていたということはまちがいないけど、何を調査していたのかはわかりません。

柳田國男は、1923年に関東大震災があったとき、ジュネーブにあった国際連盟の委任統治委員を辞任し、ヨーロッパから急遽帰国して、まもなく都心部から、田園の中にあった成城に移転しました。彼が国際連盟にいた時期は、第一次世界大戦(1914年~1918年)への反省から国際紛争を平和的手段によって解決することをめざす「パリ不戦条約」〔注7〕

**注7　パリ不戦条約**：第一次世

が検討されていた時期です。彼は、国際連盟による「太平洋地域の和平」を考えていた。また、エスペラント語の学習もやっていた。

しかし、柳田は、帰国後も、別に変わっていません。つまり、国際主義から地域主義やナショナリズムになったわけではない。彼は多摩丘陵を歩き回った。では、かつて椎葉村で狩猟焼畑農民の遊動性（ノマドロジー）に着目した柳田が、多摩丘陵で何を見つけようとしていたのか。私も柳田のように多摩丘陵を歩き回りながら、それを考えています。だから、歳を重ねて、私も柳田に近づいてきたのかな、と感じています。

## ブロッホの希望と徳川の平和

――柄谷さんは『力と交換様式』の最後に、「今後に、戦争と恐慌、つまり、BとCが必然的にもたらす危機が幾度も生じるだろう。しかし、それゆえにこそ、〝Aの高次元での回復〟としてのDが必ず到来する」と書いています。その同じ章の中で「Dは、Aとは違って、人が願望し、あるいは企画することによって実現されるようなものではない。それはいわば〝向こうから〟来るのだ」ともお書きになっています。将来世代は、希望をどこにどうやって見つければよいのでしょうか？

**柄谷**　私がいう「希望」は、エルンスト・ブロッホ（東ドイツのマルクス主義哲学者）の言う「希望」と同じです。ブロッホは、戦前にドイツから亡命しながら、資本主義と国家を揚棄する可能性を追求しようとしました。それを彼は希望と呼んだ。希望とは未来に向けて意

界大戦後の1928年に締結された多国間条約。戦争の放棄を謳い、国際紛争を平和的手段によって解決することを規定している。柄谷氏によると、この条約は一切の敵対状態のない「永遠平和」を諸国家の連合によって創出することを構想したエマニュエル・カントの理念に基づいている。カントの理念は国際連盟と国際連合に受け継がれている。

識的に望むことではありません。それは希望がまったくありえないような時点で、見出されるものです。希望がないように見える時にこそ、「中断された未成のもの」として希望が、向こうからやって来るんです。

現在の世界状況、そして、日本の状況も、そのような危機に近づいています。私は『憲法の無意識』(岩波新書、2016年)で、日本の憲法9条は、むしろ日本人の「無意識」の問題だと書きました。つまり、それは集団的無意識だから、説得や宣伝によって操作することができない。戦後、保守派が改憲を訴えても無駄だったのはそのせいです。したがって、憲法9条は、護憲派の意識によって守られてきたわけではありません。

憲法9条は、前文にもあるように国際連合を前提にしています。しかし、それはたんなる外来のものではないし、敗戦の産物でもない。「徳川の平和」がベースにあるからです。徳川幕府は、明や朝鮮、それにオランダとも交易していました。だから江戸時代の日本は、「鎖国」じゃない。たとえば、将軍が変わるたびに朝鮮通信使が来ていた。日本で、このように東アジアの諸国と平和的にやれていた時代は、それ以前にも、そして以後にもありません。家康は、秀吉の朝鮮侵略を頂点とする長い戦争の後に、「東アジアの国際的秩序」を回復したわけです。そして、彼のブレーンには、イギリス人ウィリアム・アダムス(三浦按針)がいました。

そのような意味で、徳川の体制は、第二次世界大戦後の日本の体制とよく似ています。徳川の国制の特性は、象徴天皇制と非軍事化にあった。それらは、戦後憲法でいえば、1条と9条の〝先行形態〟です。明治維新以降、徳川の平和は打ち破られ、日本は戦争の道を歩んでしまいました。敗戦が日本人にもたらしたのは、明治維新体制に対する悔恨でしかありません。

ブロッホは過去に中断され押しとどめられた「太古」の道が回復されることによって「未来」の道が開かれる、すなわち「太古」の道が向こうからやって来ると言っています。彼はそのような力を「希望」と呼んだ。カントも、Aの〝高次元での回復〟を考えていた。そして、社会の歴史を、人間の計画ではなく、自然の「隠微な計画」として見ていました。私の考えでは、彼のいう自然の「隠微な計画」とは、交換様式Dのことです。現在の国連は無力ですが、国連が本来もとづく、カントが『永遠平和のために』で提起した「世界共和国」の構想は、一種のDであり、将来、危機の後に必ず回帰してくると思います。そこに、「希望」を感じます。

## 水越真紀
みずこし・まき

ライターとエディター。『7・8元首相銃撃事件　何が終わり、何が始まったのか』（河出書房新社）に寄稿。ele-king臨時増刊号『日本を変える女たち』『コロナが変えた世界』『山本太郎から見える日本』『黄色いベスト運動』、別冊ele-king『永遠のフィッシュマンズ』などでインタヴューや寄稿。戸川純『戸川純全歌詞解説集　疾風怒濤ときどき晴れ』（ele-king books）や忌野清志郎『生卵』（河出書房新社）の編集。介護中。

## 土田修
つちだ・おさむ

ル・モンド・ディプロマティーク日本語版編集委員、編集・出版のアソシエーション「だるま舎」編集長、元中日新聞（東京新聞）記者。1954年金沢市生まれ、名古屋大学文学部卒。中日新聞社に入社し、愛知県警担当時代に赤報隊事件、警視庁公安担当時代に阪神・淡路大震災とオウム真理教事件を取材。著書に『日本型新自由主義の破綻』（春秋社、共著）、『調査報道』（緑風出版）、『南海の真珠カモテス』（邂逅社）など。



ele-king臨時増刊号

**2023年、日本を生きるための羅針盤**

2023年3月3日　初版印刷
2023年3月3日　初版発行

編集　**野田努＋小林拓音**(ele-king)
協力　**土田修、水越真紀**
装丁　**長井雅子**(in C)
表紙写真　**小原泰広**

発行者　**水谷聡男**
発行所　**株式会社Pヴァイン**
〒150-0031 東京都渋谷区桜丘町21-2 池田ビル2F
編集部：TEL 03-5784-1256
営業部(レコード店)：TEL 03-5784-1250
FAX 03-5784-1251
http://p-vine.jp

発売元　**日販アイ・ピー・エス株式会社**
〒113-0034 東京都文京区湯島1-3-4
TEL 03-5802-1859
FAX 03-5802-1891

印刷・製本　**シナノ印刷株式会社**

ISBN 978-4-910511-32-0